À toi Ongran,
pour m'avoir concocté des plats délicieux
et n'avoir jamais désespéré de me les faire goûter.
M. A.

Marguerite Abouet

Dessins
Agnès Maupré

Délices d'Afrique

50 recettes pour petits moments
de confidences à partager

ALTERN
ATIVES

Un midi, alors que je me plaignais à haute voix de ne jamais pouvoir manger seule et tranquillement mon plat préféré – de « l'attiéké-poisson frit » –, mais de devoir toujours le partager avec un tas d'enfants qui, comme par hasard, passaient à ce moment-là, ma mère, en femme éclairée et avisée, me gronda en ces termes : « Ma fille, la nourriture se partage, et partager son repas, c'est aimer les gens, alors cuisiner et manger tous ensemble, c'est s'aimer les uns les autres... ».

Je n'avais pas compris du haut de mes neuf ans que j'allais pratiquer cet adage le restant de ma vie de femme.

Les Ivoiriens aiment à dire que tout commence toujours par une première fois. Mon premier plat fut donc mémorable. Pour suivre les bons conseils de ma maman et lui prouver que je n'étais pas une petite égoïste, je proposais à mes amies de mettre à profit ce proverbe. C'est donc trois petits bouts de femmes qui partirent au marché pour y ramasser des légumes pas trop abîmés, avant de concocter dans des boîtes de conserve en plus et sur du vrai feu, un délicieux repas. Repas que nous avons partagé avec tous les enfants du quartier.

Malheureusement, nous n'avons pas pu vraiment profiter tous ensemble de ce grand moment de partage, puisque nous étions occupés à faire des va-et-vient entre les toilettes et le lit, tordus de douleur par d'atroces crampes d'estomac.

J'ai eu la chance de grandir au sein d'une tribu de femmes, au milieu des bruits de leurs grosses casseroles et des senteurs d'épices. J'ai appris à cuisiner, comme toute jeune Africaine qui se respecte, en observant mes aînées. Je m'en suis tellement imprégnée que ces images font dorénavant partie de moi, de ma personnalité. Il me suffit simplement de fermer les yeux pour retrouver les odeurs de mon enfance, l'ambiance des cuisines, et surtout le souvenir de ces femmes, leurs moments de rire, de retrouvailles, de bavardages, leurs petites histoires...
Pour les femmes africaines, faire la cuisine est un prétexte pour se retrouver et passer du temps ensemble. Un moment bien à elles. Pour se raconter leurs problèmes, recevoir ou se donner des conseils. Un moment de partage. Quelle que soit la situation, tout finit par un bon repas à déguster en famille, avec les amis, les voisins...
Chaque plat raconte une histoire de vie, une anecdote, le plus souvent inventée par les femmes.
Comment dessaouler rapidement son mari ? Quel plat préparer pour éviter qu'il ne parte voir ailleurs ? Pour le rendre plus performant ? Comment se faire apprécier par ses beaux-parents en mijotant un bon repas ?

Que servir à une femme enceinte ou à une jeune accouchée ? Quelles recettes pour les jours de fête ? Etc.
Mes copines, ce livre n'a pas pour ambition de vous apprendre à mieux cuisiner, mais celle de partager avec vous quelques conseils culinaires venus d'ailleurs pour mieux vivre avec votre moitié, seule, en famille ou avec des ami(e)s.
Mais avant d'en tourner les pages, voici un vieux conseil de ma tata Ongran, que je repète encore aujourd'hui lorsque je cuisine et qui m'aide énormément : « Goûte souvent ton plat, le meilleur assaisonnement, ce sera toujours toi... »
Mais comme on dit chez nous, un conseil se supprime, ce n'est pas une vallée. On est donc libre de le suivre ou non... Alors en bonnes « entendeuses » donc... Bonne dégustation !

Petite mise au point

Mes copines, que l'on soit bien d'accord,
l'Afrique est vaste et riche culinairement.
Faire un livre sur toute la cuisine africaine
serait prétentieux de ma part, surtout que
je ne suis pas l'auteure de ces plats. Toutes ces
recettes de terroir proviennent essentiellement
des pays de l'ouest africain. La cuisine
ivoirienne, que je mets principalement en
avant, a en partage de nombreux plats avec
ses voisins frontaliers et profite également du
savoir culinaire de tous les groupes ethniques
qui vivent dans le pays.

La cuisine africaine vit avec son temps,
son peuple et ses joies, ses peines, ses envies,
ses espoirs ; elle s'inspire surtout de
son quotidien, le suit dans les moments forts de
la vie. Naissance, baptême, mariage, divorce,
circoncision, funérailles, réconciliation,
obtention d'un diplôme, promotion... toutes
les situations sont bonnes pour bien manger
et donc se réunir.

De nos jours, la tendance étant à l'exportation,
les communautés issues de l'immigration
africaine implantées en France ont transporté
avec elles leur patrimoine culinaire.

C'est pourquoi vous trouverez tous les produits
nécessaires à la préparation de ces plats chez
tous les épiciers chinois, africains ou arabes
des grandes villes, voire même dans de
nombreux hypermarchés.

SOMMAIRE

LA POUDRE DE POISSON
poissons cuits, séchés et hachés finement afin
d'obtenir une poudre.

LES INDISPENSABLES

Ce sont les bases de la cuisine ivoirienne. Aucune sauce, grillade et autre mets ne peut se cuisiner sans ces ingrédients. Ma mère disait qu'avec un oignon, une tomate et du sel, on pouvait accomplir des merveilles : une sauce tomate que l'on pouvait déguster avec n'importe quel accompagnement. Elle a raison. Feuilletez ce livre et on en reparlera.

LA POUDRE DE CREVETTES
petites crevettes cuites, séchées et hachées
finement afin d'obtenir une poudre.

LE PIMENT.

LE CUBE MAGGI

LE GINGEMBRE

L'OIGNON

LA TOMATE

LE CUBE MAGGI

Dans un avion d'Air France reliant Abidjan à Paris, l'hôtesse sert son repas à un Ivoirien.
« Vous n'avez pas de cube Maggi ? », lui demande-t-il.
« De quoi ? » interroge l'hôtesse, ne sachant visiblement pas de quoi il s'agit…
« De cube Maggi. Comment une compagnie comme Air France, qui sert des plats si fades, peut ne pas avoir de cube Maggi ? C'est de la fantaisie ! »
L'homme s'emporte alors que les autres passagers se moquent de lui…

Il aura fallu l'aide du commandant, du champagne à volonté et du caviar en abondance pour le calmer !

Vous comprenez ainsi l'effet de ce bouillon, devenu depuis quelques décennies le trait le plus distinctif de la culture ivoirienne… Mais comment ce petit cube a-t-il pu devenir indispensable dans chaque foyer africain et s'imposer dans notre cuisine traditionnelle ?

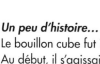

Un peu d'histoire...

Le bouillon cube fut inventé dans les années 1880.
Au début, il s'agissait d'un extrait de viande.
En 1908, Julius Maggi (et oui, un homme!) commence
la commercialisation du bouillon sous sa forme de cube
déshydraté. Conçus à l'origine pour aider les travailleurs
les moins favorisés à mieux s'alimenter et à éviter les
carences, les déshydratés Maggi ont ensuite engendré
l'idée du cube Maggi.

Comment ce cube s'est-il retrouvé en Afrique?
Une légende raconte qu'au temps des colons, un petit
avion qui survolait un village laissa tomber un carton
qui explosa en touchant le sol. Des milliers de petits cubes
s'en échappèrent, s'éparpillant ainsi dans le village.
On ne sait comment, l'un de ces cubes atterrit dans
la sauce que cuisinait une villageoise, et son mari en
adora le goût. Tout le village adopta les petits cubes
et progressivement, tout le pays.

« Maggi, le secret de la bonne cuisine. »

« Maggi convaint ton mari de la bonne cuisine de son
épouse. »

« Maggi t'évite d'avoir une co-épouse à la maison. »

« Jésus, tu es le cube Maggi de ma vie. »

Le cube Maggi est porté aux nues dans les grandes villes
comme dans les villages les plus reculés. À la télé, la radio,
sur des affiches, des T-shirts et des casques, des slogans
vantent les saveurs du petit cube maggi-que désormais
décliné en maggi-poulet, maggi-oignon-épices,
maggi-crevette... pour satisfaire tous les goûts!
Lorsqu'un père, fier de sa fille qui lui cuisine une bonne
sauce, lui dit : « Bravo, c'est ton futur mari qui aura de
la chance ! », je me dis que la petite étoile a encore
de beaux jours devant elle.

Étoilement vôtre.

Mon père, comme beaucoup d'autres, aimait à dire que dans un repas, l'entrée est une pure supercherie, inventée par les femmes dans l'intention de « blaguer le ventre des pauvres hommes qu'ils sont ». L'entrée selon lui ne servait donc à rien. Il valait mieux passer directement aux plats de résistance.

Mais comme on dit chez nous, c'est par la persévérance et le courage qu'on peut parvenir à ses fins, et les femmes ont tout de même pu imposer les « en attendant » dans le quotidien. Ces entrées se sont transformées en grignotage, en en-cas, en coupe-faim que l'on déguste à toute heure de la journée pour le bonheur des grands et des petits...

LES ENTRÉES

ou les « en attendant le vrai repas »

L'ALLOCO

ET SA SAUCE TOMATE

L'alloco est le plat le plus populaire de Côte d'Ivoire. Il est aussi connu internationalement. En baoulé (une ethnie du centre), l'alloco désigne la banane plantain bien mûre.

Pour la petite histoire : au temps jadis, l'alloco était réservé à une classe sociale privilégiée : colons, commis, employés de bureaux… Aujourd'hui, on déguste ces déshabillés de bananes à tous les coins de rue, à des prix mini et à n'importe quelle heure de la journée et de la nuit. Des espaces à ciel ouvert et très enfumés appelés «allocodromes» rendent hommage à ce plat et font se côtoyer riches et pauvres, filles stylées et gars tendance.

L'alloco, le rapprocheur des classes !

Pour 2 amoureux | 6 bananes plantain bien mûres (bien jaunes), ¼ d'une bouteille d'huile d'arachide ou de palme, la moitié d'un oignon (facultatif), sel

Éplucher les bananes et les couper en rondelles ou en dés. Y ajouter éventuellement l'oignon coupé lui aussi en dés. Chauffer l'huile dans une poêle creuse pendant 10 minutes et y jeter les bananes. Elles doivent être dorées. Les retirer à l'aide d'une écumoire et laisser égoutter 1 minute avant de servir chaud avec sa petite sauce tomate.

La sauce tomate : l'autre moitié de l'oignon, 1 piment (pour les plus courageux), 1 tomate, 1 cuillère à soupe d'huile, sel et poivre, 1 cube Maggi

Coupez en morceaux l'oignon et le piment. Faites revenir le tout dans une poêle avec un peu d'huile. Salez, poivrez et rajoutez la moitié du cube Maggi. Laissez cuire 20 minutes en remuant de temps en temps.

Ah d'ailleurs, qui ne se souvient pas avec émotion de notre chère Thérèse susurrant au jeune Félix cette phrase mythique « Je vous offre des allocos ! », qui a remplacé depuis longtemps « Vous habitez chez vos parents ? ».

ANANAS PIROGUE

TANTIE, MES FUTURS BEAUX-PARENTS VIENNENT MANGER CHEZ NOUS ET JE NE SAIS PAS QUOI CUISINER. J'AI BESOIN DE TON AIDE!

AÏSSA, IL T'ARRIVE QUOI? TU NE SAIS PLUS PRÉPARER?

TANTIE, CE SONT DES GENS IMPORTANTS QUI ONT FAIT LE MONDE. JE DOIS ÊTRE DIGNE DE LEUR MILIEU!

AÏSSA, ON SE GRATTE OÙ ON PEUT PORTER LA MAIN. SI LEUR FILS LE FRÉQUENTE, C'EST EN CONNAISSANCE DE CAUSE. ON NE FRÉQUENTE QUE DES GENS DE SA CONDITION.

TANTIE, JE NE SUIS JAMAIS SORTIE DU PAYS.

BON, TRANQUILISE-TOI. TU VAS LEUR FAIRE LA RECETTE DE L'ANANAS PIROGUE. AVEC CE PLAT, SI TES FUTURS BEAUX-PARENTS NE NAVIGUENT PAS SUR UN OCÉAN DE PLAISIRS, C'EST QU'ILS NE SONT PAS DIGNES QUE TU SOIS LEUR FUTURE BRU.

300 G DE FILET DE MÉROU CUIT

3 ANANAS MOYENS

200 G DE MAÏS CUIT

1 CITRON

1 AVOCAT

DU SEL

DU POIVRE

300 G DE CREVETTES DÉCORTIQUÉES CUITES

2 TOMATES

1 OIGNON

2 CL À SOUPE D'HUILE

Pour 4 voyageurs | 300 g de filet de mérou cuit, 300 g de crevettes décortiquées et cuites, 3 ananas moyens, 2 tomates, 1 oignon, 200 g de maïs cuit, 1 avocat, 1 gousse d'ail, 1 citron, 2 cuillères à soupe d'huile, sel et poivre

Si vous êtes comme Aïssa… Faites cuire 10 minutes le filet de mérou et les crevettes à la vapeur et laissez refroidir.
Pendant ce temps, ciselez l'ail, coupez l'avocat, l'oignon, les tomates et un ananas en dés. Mettez-les dans un saladier. Coupez le filet de mérou en lamelles et versez-le sur les légumes avec les crevettes. Ajoutez le maïs cuit, mélangez bien et arrosez de jus de citron et d'huile. Coupez les autres ananas en deux parts égales dans le sens de la hauteur, videz-les, garnissez l'intérieur du mélange et servez frais.

SALADE EXOTIQUE

" SUCRÉ SALÉ "

Dispute conjugale entendue dans un foyer voisin…
Et oui, l'exotisme c'est toujours L'ailleurs…
On a donc demandé à Faby (la voisine) sa recette.

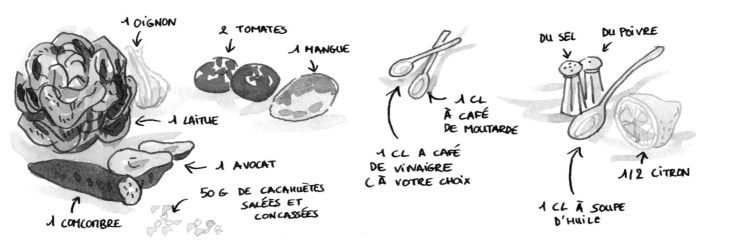

Pour 4 personnes | 1 laitue, 1 oignon, 2 tomates, 1 avocat, 1 mangue, 1 banane, 50 g de cacahuètes salées et concassées, 1 concombre | **La vinaigrette :** 1 cuillère à café de moutarde, ½ citron, 1 cuillère à café de vinaigre de votre choix, 1 cuillère à soupe d'huile, sel et poivre

Faites la vinaigrette en mélangeant tous les ingrédients.
Lavez la laitue et laissez-la s'égoutter. Coupez les tomates, l'oignon et le concombre en rondelles ainsi que l'avocat, la mangue et la banane en gros dés. Arrosez l'avocat et la banane d'un filet de jus de citron pour éviter qu'ils ne noircissent.
Dans un saladier, mélangez la laitue avec les légumes et les fruits.
Saupoudrez de cacahuètes.
Faites revenir la vinaigrette en mélangeant vigoureusement ses ingrédients. Assaisonnez la salade au moment de servir.

Merci à Faby, mais surtout, merci à mes oreilles !

ÉCRASÉ DE POISSON À L'IGNAME

Pour une saint-valentin réussie !

Ce plat est la recette parfaite pour une soirée en amoureux.
Les femmes le cuisinent le jour de la Saint-Valentin.
Oui, cette date a traversé les océans. Elle est facile à réaliser
et surtout très légère, ce qui peut s'avérer capital pour la suite
des évènements nocturnes.

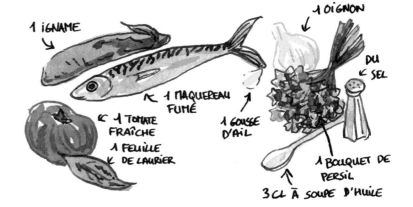

1 IGNAME

1 MAQUEREAU FUMÉ

1 TOMATE FRAÎCHE

1 FEUILLE DE LAURIER

1 GOUSSE D'AIL

1 OIGNON

DU SEL

1 BOUQUET DE PERSIL

3 CL À SOUPE D'HUILE

CONSEIL DE KADY, UNE VALENTINE

« Fais déguster ce plat à ta moitié avec quelques verres de jus
de gingembre bien frais. »

Pour 2 amoureux légers | 1 maquereau fumé, 1 igname, 3 cuillères à soupe d'huile, 1 tomate fraîche,
1 oignon, 1 bouquet de persil, 1 gousse d'ail, 1 feuille de laurier, sel

Le plus difficile dans cette recette est le maquereau fumé. Une astuce :
mettez-le 20 minutes au four. Ensuite, pelez et émiettez le poisson braisé.
Faites un hachis avec l'oignon, la tomate, l'ail, le persil et une pincée de sel.
Dans une casserole, mettez l'huile à chauffer et faites-y revenir le hachis
pendant 5 minutes avant d'ajouter la feuille de laurier, le poisson émietté
et un tout petit peu d'eau. Laissez mijoter à feu doux 15 minutes. Pendant
ce temps, épluchez et découpez l'igname en gros morceaux et faites-les
cuire dans un litre d'eau salée. Mettez les cubes d'ignames encore chauds
dans un grand plat et répartissez la purée de poisson dessus.

AVOCAT AUX CREVETTES

Mes copines, voilà une entrée facile, rapide et savoureuse. C'est parfait pour un dîner improvisé au dernier moment, en pleine semaine par exemple ! Ce plat, qu'affectionnent particulièrement les enfants qui le dégustent avec du pain, se consomme beaucoup dans toutes les grandes villes du pays.

200 G DE CREVETTES DÉCORTIQUÉES (CUITES)

2 CL À CAFÉ DE MAYONNAISE

1 CL À CAFÉ DE KETCHUP

SEL ET POIVRE

2 BEAUX AVOCATS
(DE CÔTE D'IVOIRE)

1/2 CITRON

Pour 4 personnes | 2 beaux avocats de Côte d'Ivoire, 200 g de crevettes décortiquées (cuites), 2 cuillères à café de mayonnaise, 1 cuillère à café de ketchup, ½ citron, sel et poivre

Coupez les avocats en deux dans le sens du la longueur. Ôtez leur le noyau et salez-les légèrement pour qu'ils ne noircissent pas. Faites la sauce en mélangeant la mayonnaise, le ketchup, l'huile, une pincée de sel et de poivre. Avant de servir, trempez les crevettes dans la sauce, salez et poivrez. Répartissez le mélange dans chaque moitié d'avocat. Vous pouvez faire une vinaigrette (sans la mayonnaise et le ketchup) avec l'oignon et une petite gousse d'ail découpés très finement, du sel, du poivre, et 1 cuillère à soupe d'huile d'olive. Puis vous y mélangez les crevettes. C'est bien d'avoir le choix, non ?

PURÉE D'AVOCAT AU THON

Votre moitié est à un dîner de travail (c'est ce qu'il vous a dit). Au lieu de vous morfondre en vous demandant s'il n'est pas plutôt avec une autre femme, vous rayonnez car vous n'allez pas cuisiner. Un moment rien que pour vous : se bichonner, traîner, se vautrer devant la télé... Mais zut ! Vous avez des enfants ! Pas de panique : il y a la purée d'avocat au thon. Un classique ivoirien, frais et facile à réaliser. Tellement simple que vos enfants peuvent le préparer sans votre aide. Il faut utiliser les moyens susceptibles de se rendre la vie plus agréable. Car un chasseur ne se sépare pas du poisson, justement...

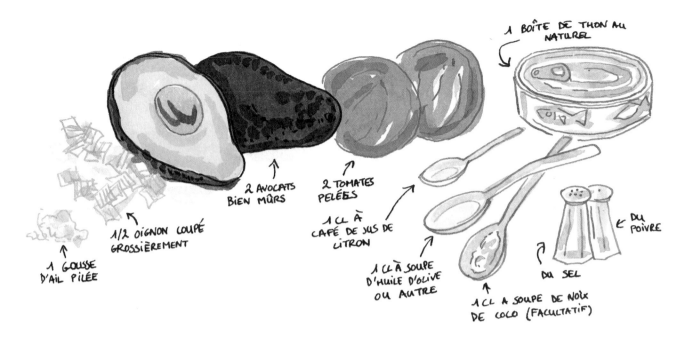

1 BOÎTE DE THON AU NATUREL

2 AVOCATS BIEN MÛRS

2 TOMATES PELÉES

1 CL À CAFÉ DE JUS DE CITRON

1 CL À SOUPE D'HUILE D'OLIVE OU AUTRE

1 CL À SOUPE DE NOIX DE COCO (FACULTATIF)

DU SEL

DU POIVRE

1/2 OIGNON COUPÉ GROSSIÈREMENT

1 GOUSSE D'AIL PILÉE

Pour 4 enfants attentionnés | **2 avocats bien mûrs, 1 gousse d'ail pilée, ½ oignon coupé grossièrement, 1 cuillère à café de jus de citron, 2 tomates pelées, 1 cuillère à soupe d'huile d'olive (ou autre), 1 boîte de thon au naturel, 2 cuillères à soupe de noix de coco (facultatif), sel et poivre**

Les enfants, pelez, coupez et dénoyautez les avocats. Passez-les au mixeur avec l'ail, l'oignon, le jus de citron, les tomates et l'huile ! Salez et poivrez. Servez la purée d'avocat dans un grand plat. Répartissez le thon par-dessus et saupoudrez le tout de noix de coco (ou pas). Servez frais avec du pain.

BONNE ACTION

Faites un plateau-repas de votre délicieuse purée d'avocat au thon à votre maman en lui disant qu'elle est la plus gentille et jolie des mamans du monde. Si, si...

CARPACCIO D'ASSINIE

Assinie est une ville côtière située à 80 km d'Abidjan. Mais elle est aussi bien plus que ça ! C'est l'endroit le plus fabuleux du monde. Vous ne me trouvez pas objective ? Si je vous dis une plage de sable blanc qui vous sourit quand vous lui marchez dessus, une mer chaude (28° minimum) avec de magnifiques vagues et de superbes paillotes où l'on déguste des langoustes et autres poissons frais que les pêcheurs ne manquent pas de vous apporter... Mais je m'égare, c'est un livre de cuisine pas de voyage... quoique ! On raconte qu'en Italie au XVIe siècle, le peintre Carpaccio découvrait... le carpaccio ! Au XVIIIe siècle, le prince d'Assinie découvrait la France.
Le rapport avec cette recette ? Aucun... ! Mais maintenant, à vous de découvrir le « carpaccio d'Assinie », une entrée princière et vraiment délicieuse !

BONUS
C'est à Assinie que le film
Les Bronzés a été tourné !

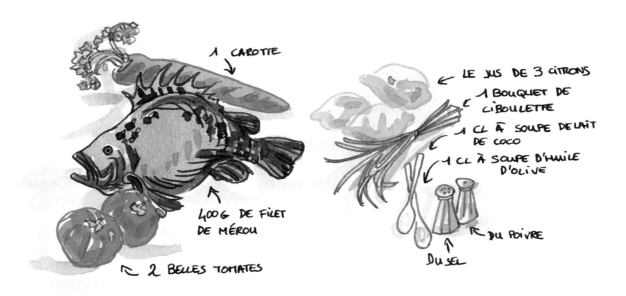

1 CAROTTE

LE JUS DE 3 CITRONS

1 BOUQUET DE CIBOULETTE

1 CL À SOUPE DE LAIT DE COCO

1 CL À SOUPE D'HUILE D'OLIVE

DU POIVRE

DU SEL

400 G DE FILET DE MÉROU

2 BELLES TOMATES

Pour 4 personnes | 400 g de filet de mérou, 2 belles tomates, 1 carotte, le jus de 3 citrons, 1 bouquet de ciboulette, 1 cuillère à soupe de lait de coco, 2 cuillère à soupe d'huile d'olive, sel et poivre

Pour la marinade : mélangez une cuillerée d'huile, le jus des citrons et une pincée de sel. Coupez le filet de mérou en très fines lamelles, arrosez-le de la marinade et laissez reposer 3 heures.
Hachez finement la ciboulette. Coupez les tomates en dés et râpez la carotte. Mélangez le tout sans écraser la tomate.
Quand vous aurez retiré le poisson de la marinade, déposez-le sur une grande assiette plate. Décorez avec le mélange de tomates et de carotte. Terminez votre entrée en versant dessus, juste avant de servir, le lait de coco et l'huile, ainsi qu'une pincée de sel et de poivre.

PAMPLEMOUSSE AUX CREVETTES

Wassia et Tina se sont lancé un défi: passer de la taille 44 à 42.
Tout ça parce que leurs moitiés ont décidé de les emmener
une semaine au bord de la mer.

EN PLUS, ON NE SAIT MÊME PAS NAGER.

WASSIA, EST-CE-QU'ON A BESOIN DE SAVOIR NAGER POUR ALLER À LA PLAGE ?

TU AS RAISON, TINA. EN TOUT CAS, MOI, JE VEUX UN PEU MAIGRIR, MAIS JE NE VEUX PAS FAIRE DE RÉGIME.

MOI, J'AIME BIEN ME NOURRIR. ET JE VEUX JUSTE GOMMER QUELQUES KILOS SUPERFLUS POUR RENTRER DANS MON MAILLOT DE BAIN.

TINA, LA MINCEUR N'A PAS UNE GRANDE IMPORTANCE. ON AIME NOS RONDEURS. ET EN PLUS, MOI, JE NE VEUX PAS FAIRE DE SPORT

WASSIA, IL PARAÎT QUE LES EXERCICES PHYSIQUES SONT LA BASE DES CURES POUR MAIGRIR.

MAIS JE N'AI PAS BESOIN DE FAIRE DU JOGGING ET TRANSPIRER BÊTEMENT. JE FAIS TOUS LES SOIRS DU SPORT AVEC MON MENDOZZA. DU SPORT EN CHAMBRE, BIEN PLUS NATUREL ET AGRÉABLE QUE...

LES COPINES, LES COPINES! N'EN DITES PAS PLUS, HEIN! ON VOUS A COMPRISES. CETTE RECETTE DE "PAMPLEMOUSSE AUX CREVETTES" EST POUR VOUS. C'EST EXQUIS, DIÉTÉTIQUE ET ON PEUT EN MANGER TANT QU'ON VEUT. BON RÉGIME!

comment maigrir agréablement et sans trop d'efforts physiques

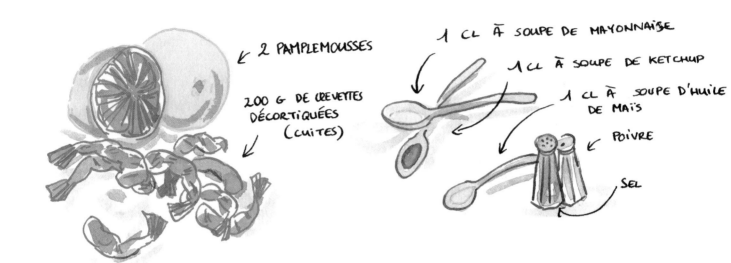

2 PAMPLEMOUSSES

200 G DE CREVETTES DÉCORTIQUÉES (CUITES)

1 CL À SOUPE DE MAYONNAISE

1 CL À SOUPE DE KETCHUP

1 CL À SOUPE D'HUILE DE MAÏS

POIVRE

SEL

Pour 2 futures copines minces et pour toutes les autres personnes gourmandes | **2 pamplemousses, 200 g de crevettes décortiquées (cuites), 1 petit oignon, 1 cuillère à soupe de mayonnaise, 1 cuillère à soupe de ketchup, 2 cuillères à soupe d'huile de maïs, sel et poivre**

Les filles, coupez en deux les pamplemousses. Retirez les ¾ de leur chair. Pressez la et réservez le jus. Hachez finement l'oignon. Mélangez-le aux crevettes et au jus de pamplemousse.
Pour la sauce : mélangez la mayonnaise, le ketchup, l'huile, le sel et le poivre. Incorporez-la aux crevettes et garnissez les pamplemousses de ce mélange. Servez bien frais !

SALADE BASSAMOISE

Un peu d'histoire... C'est notre « taboulé » national. Bassam est une ville côtière située à 30 km d'Abidjan. Entre la mer et la lagune, c'est un comptoir créé en 1843 par des colons français. Elle est devenue en 1893 la première capitale de Côte d'Ivoire. Aujourd'hui, ce site balnéaire est une attraction touristique majeure, avec ses anciennes maisons coloniales, ses belles plages et ses marchés artisanaux. Bassam est appréciée pour son ambiance nostalgique et ses spécialités traditionnelles et modernes. Bref, cette ville mérite le détour. Si vous voulez bien commencer un bon petit repas en tête-à-tête ou un repas de famille, cette recette est pour vous. Elle est facile, rapide, exquise et provoquera son effet de surprise. « C'est du couscous ? Non, c'est de l'attiéké ! »

200 G D'ATTIÉKÉ

2 TOMATES

1/2 BOUQUET DE MENTHE

2 CL À SOUPE D'HUILE VÉGÉTALE

1/2 CL À SOUPE DE VINAIGRE (AU CHOIX)

POIVRE

SEL

1 CITRON

1 BOUQUET DE PERSIL

200 G DE THON AU NATUREL

Pour 4 personnes | 200 g d'attiéké, 2 tomates, 1 bouquet de persil, 1 bouquet de ciboulette, ½ bouquet de menthe verte, 200 g de thon au naturel, 1 citron, 2 cuillères à soupe d'huile végétale, ½ cuillère à soupe de vinaigre (de votre choix), sel et poivre

Hachez le persil, la ciboulette et la menthe. Coupez les tomates en dés et mélangez le tout à l'attiéké et au thon. Réservez au frais. Préparez la vinaigrette avec le jus de citron, l'huile, le vinaigre, et une pincée de sel et de poivre. Juste avant de servir, versez la vinaigrette sur la salade. Mélangez et présentez sur un plat garni de quelques feuilles de laitue.

BOULETTES DE POISSON

Ces phrases, je les ai entendues toute mon enfance. Car, comme le disait ma mère, «c'est dès l'aurore qu'on connaît la bonne matinée». On sait ce que sera l'enfant dès qu'il est tout petit, il suffit de l'aider. Où a-t-elle entendu que le poisson rendait intelligent? En tout cas, elle nous a bien aidés à en manger. Pourquoi n'ai-je pas fait d'overdose et continue d'en consommer? Elle variait les recettes. Elle débordait d'imagination. Le poisson dans tous ses états: en boulettes, en pastel, en brochette, frit, ou en sauce... Tous ces plats étaient délicieux! Je ne sais pas si ce poisson m'a rendue très intelligente. De la mémoire, je pense en avoir. Par contre, je ne sais pas nager malgré toutes les langues de poisson que j'ai avalées.
Mais ma mère m'a aidée à faire aimer le poisson à mon fils.

IL FAUT MANGER DU POISSON, LES ENFANTS! ÇA VOUS RENDRA INTELLIGENTS.

VOUS AUREZ UNE BONNE MÉMOIRE!

EN PLUS, IL PARAÎT QUE SI ON AVALE LA LANGUE DU POISSON, ON SAIT SUPER BIEN NAGER!

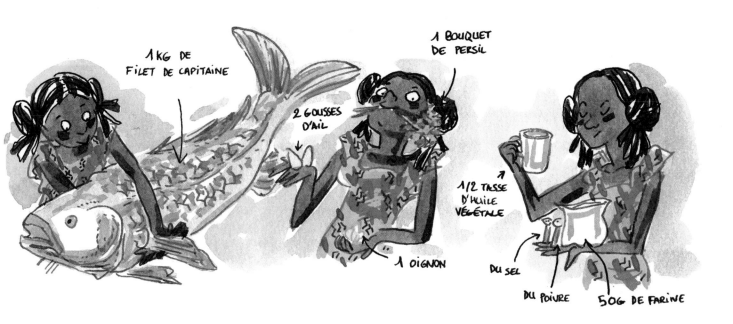

1 KG DE FILET DE CAPITAINE

2 GOUSSES D'AIL

1 BOUQUET DE PERSIL

1 OIGNON

1/2 TASSE D'HUILE VÉGÉTALE

DU SEL

DU POIVRE

50G DE FARINE

Pour 4 futurs Einstein | ½ kg de filet de capitaine, 1 bouquet de persil, 2 gousses d'ail, 1 oignon, 50 g de farine, ½ tasse d'huile végétale, sel et poivre

Faites un hachis avec l'ail, l'oignon, le persil et les filets. Salez et poivrez, puis modelez de petites boules bien homogènes. Mettez l'huile à chauffer. Roulez chaque boule dans la farine avant de la plonger dans l'huile très chaude pendant 3 minutes.

Servez tièdes, nature ou avec une sauce tomate, piquante ou non.

CŒUR DE PALMIER
AUX CREVETTES

Le palmier est baptisé «arbre providentiel» pour les populations
des villages ivoiriens. Il fournit le vin (le fameux vin de palme).
Ses graines sont dégustées dans notre délicieuse «sauce graine».
Son huile végétale, la plus consommée au monde, est très prisée
et largement utilisée dans l'alimentation, la cosmétique
ou l'industrie. Ses branches servent à construire des maisons,
à balayer, à chasser en posant des pièges, à édifier
des balançoires, à attraper le poisson… Et comme si cela
ne suffisait pas, le palmier est aussi «l'aliment santé par
excellence», car pratiquement dépourvu de corps gras.
On ne pouvait pas le bouder longtemps en salade, même
si on n'est pas des moutons.

Puisque vous n'êtes ni à Bassam, ni à Assinie,
où il est possible d'acheter des tiges de jeunes
palmiers dont on dégage le cœur à la machette
sur place, rabattez-vous sur ceux en boîte
vendus dans les supermarchés.

Eh oui, on ne peut pas tout avoir !

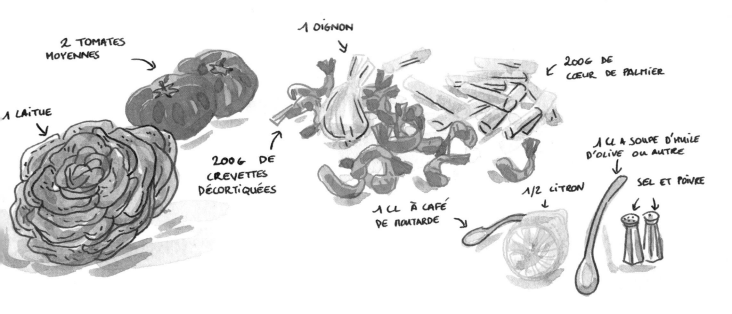

Pour 4 personnes | 1 laitue, 2 tomates moyennes, 1 oignon, 200 g de crevettes décortiquées, 200 g de cœur de palmier, 1 cuillère à café de moutarde, ½ citron, 1 cuillère à café de vinaigre, 1 cuillère à soupe d'huile d'olive ou autre, sel et poivre

Lavez et égouttez la laitue. Coupez les tomates et l'oignon en fines rondelles. Dans un grand plat creux, présentez joliment la laitue et posez les rondelles de tomate, d'oignon, les lamelles de cœur de palmier et enfin, les crevettes. Réservez au réfrigérateur.

Pour la vinaigrette : mélangez le jus de citron et le vinaigre. Salez et poivrez. Ajoutez, tout en remuant, la moutarde et l'huile. Juste avant de servir, versez la vinaigrette sur la salade.

Bon appétit !

PASTELS AU POISSON
COMMENT RESTER EN BONS TERMES AVEC SES VOISINS

Un plat incontournable connu et reconnu dans l'Afrique de l'Ouest, tellement il est délicieux. Chacun l'assaisonne à sa manière. On fait toujours les pastels en grande quantité. Histoire de les partager et aussi parce que c'est long et éprouvant à préparer, alors en faire juste pour quatre c'est nul ou juste égoïste. En même temps, on n'est pas obligé d'aimer ses voisins.
De toute façon, on ne pourrait pas manger ses pastels tout seul en cachette, car leur bonne odeur si particulière est connue de tous et attire du monde. Comme ces voisins qui passaient par hasard vous souhaiter le bonjour et prendre de vos nouvelles…
Moi, c'était l'un de mes goûters préférés.

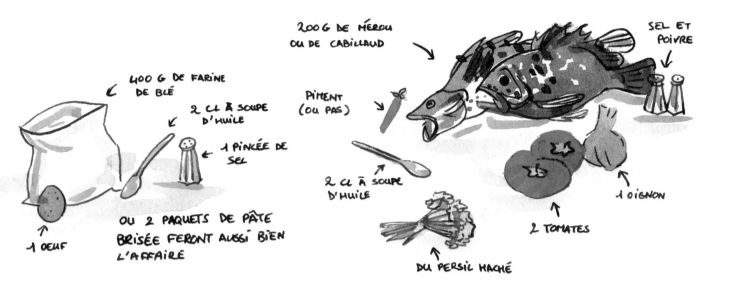

200 G DE MÉROU OU DE CABILLAUD

400 G DE FARINE DE BLÉ

2 CL À SOUPE D'HUILE

PIMENT (OU PAS)

1 PINCÉE DE SEL

SEL ET POIVRE

1 ŒUF

OU 2 PAQUETS DE PÂTE BRISÉE FERONT AUSSI BIEN L'AFFAIRE

2 CL À SOUPE D'HUILE

DU PERSIL HACHÉ

2 TOMATES

1 OIGNON

Pour 4 personnes (sans les voisins) | La pâte : 400 g de farine de blé, 1 cuillère à soupe d'huile, 1 œuf, 1 pincée de sel, ou deux paquets de pâte brisée feront aussi l'affaire | La farce : 200 g de mérou ou de cabillaud, 1 oignon, 2 tomates, 1 cube Maggi, 2 cuillère à soupe d'huile, persil hâché, sel et poivre, piment ou pas

Versez de l'eau tiède dans une cuvette creuse, rajoutez la farine, le sel, l'œuf, l'huile. Pétrissez à la main ou au malaxeur pour obtenir une pâte homogène puis laissez-la reposer environ deux heures.
Dans une poêle, mettez l'huile, les tomates, le persil, les oignons coupés en morceaux. Salez et poivrez. Laissez cuire 20 minutes en remuant de temps en temps. Rajoutez le poisson et laissez-le cuire encore 20 minutes en l'émiettant. Rajoutez le cube Maggi et faites mijoter encore 5 minutes. Laissez refroidir.
Étendez la pâte sur un plan de travail à l'aide d'un rouleau à pâtisserie ou d'une bouteille. Faites des cercles de pâte avec une petite tasse.
Déposez un peu de farce au centre de chaque cercle, puis refermez-les en pliant plusieurs fois les bords avec les dents d'une fourchette (comme des chaussons tout simplement). Faites ensuite chauffer de l'huile et plongez-y les pastels. Elles doivent être dorées. Égouttez-les.

Bonne dégustation.

GÂTEAU-MACARONI

OU
ALLER – RETOUR

*Il y a des choses qui ne s'expliquent pas car leur évidence saute
aux yeux… ou plutôt au goût. C'est le cas des gâteaux-macaroni.
Généralement, ces beignets sont vendus par des femmes qui les font
frire directement sur le lieu de vente, au marché ou au bord des routes.
Il suffit de voir la longue queue devant ces étals pour comprendre
l'effet des gâteaux-macaroni sur la population !
D'ailleurs, ce sont celles-là mêmes qui les vendent qui les ont
surnommés « allers-retours », pour la simple et bonne raison
que lorsqu'on en a goûté une fois, on retourne
immédiatement en acheter, tellement
ces beignets sont délicieux !*

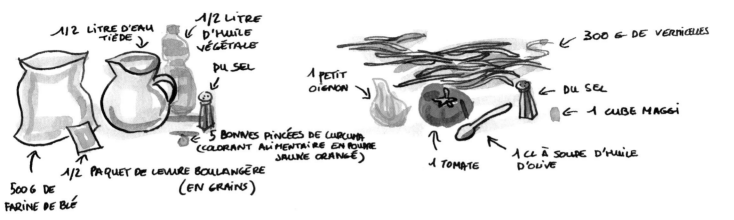

Les ingrédients annotés :

- 1/2 LITRE D'EAU TIÈDE
- 1/2 LITRE D'HUILE VÉGÉTALE
- DU SEL
- 5 BONNES PINCÉES DE CURCUMA (COLORANT ALIMENTAIRE EN POUDRE JAUNE-ORANGÉ)
- 1/2 PAQUET DE LEVURE BOULANGÈRE (EN GRAINS)
- 500 G DE FARINE DE BLÉ
- 300 G DE VERMICELLES
- DU SEL
- 1 CUBE MAGGI
- 1 CL À SOUPE D'HUILE D'OLIVE
- 1 TOMATE
- 1 PETIT OIGNON

Pour 4 personnes | La pâte : 500 g de farine de blé, ½ paquet de levure boulangère (en grains), ½ litre d'huile végétale, 5 bonnes pincées de curcuma (colorant alimentaire en poudre jaune-orangé), 1 cuillère à café de sel | La farce : 1 tomate, 1 petit oignon, 1 cuillère à soupe d'huile d'olive, 1 cube Maggi, sel

Préparation de la farce
Dans une casserole, versez l'huile, la tomate et l'oignon découpés en petits dés, du sel et le cube Maggi. Faites revenir le tout environ 15 minutes. À côté, faites cuire les vermicelles, essorez-les et rajoutez-les à la sauce. Réservez.

Préparation des beignets
Remplissez une casserole d'eau tiède. Rajoutez la levure, le sel, le colorant et remuez le tout. Versez la farine et battez au fouet jusqu'à l'obtention d'une pâte onctueuse (comme une pâte à beignets). Laissez reposer au minimum 2 heures et au maximum 4. Lorsque la pâte est levée, faites à la main de petites boules que vous mettrez à frire dans de l'huile chaude pendant 5 minutes. Essorez vos beignets et accompagnez-les de la farce. Soit vous ouvrez les beignets pour la mettre à l'intérieur, soit vous la disposez à côté des beignets sur une assiette. Il faut en effet, laisser à chacun la liberté de choisir, car ce qui est amer n'est reconnu comme tel que par celui qui goûte… Alors bons allers-retours…

Nos plats s'inspirent de nos traditions familiales et populaires. Forts de leur histoire, ils se sont enrichis de la diversité des populations et sont le résultat parfait de la cohabitation de différentes cultures au sein d'un même territoire.
Les recettes qui vont suivre proviennent essentiellement d'Afrique de l'Ouest. Notre cuisine évolue, se déplace, s'adapte, se décline de mille et une façons d'un pays à l'autre, d'une région à l'autre, d'une famille à l'autre, mais elle s'accommode, se modernise et reste toujours authentique.

Ces mets sont variés à l'image des paysages. La côte sud est très poissonneuse alors qu'au centre, savane et forêt foisonnent de gibiers, d'épices et d'herbes diverses qui poussent en abondance, et viennent agrémenter les goûts des différents plats. Chaque maîtresse de maison a sa recette. À vous de vous les approprier, de vous en imprégner et l'envie, qui est tout de même le meilleur condiment, fera le reste !

LES PLATS

ou les « en même temps c'est mieux »

PÉPÉ SOUPE

OU COMMENT DESSAOULER SON MARI EN MOINS D'UNE HEURE

MA COPINE, IL EST 6 HEURES DU MATIN. TON MARI RENTRE COMPLÈTEMENT IVRE À LA MAISON. IL DOIT ÊTRE AU BUREAU À 9 HEURES. IL A ENCORE DÉCOUCHÉ ET FAIT LA FÊTE DANS DES ENDROITS MALSAINS. TU LE TRAITES DE TOUS LES NOMS, C'EST IMPORTANT.

PUIS EN BONNE FEMME SOUCIEUSE DE SON AVENIR ET, PAR LA MÊME OCCASION, DU TIEN, TU LUI PRÉPARES UN "PÉPÉ SOUPE".

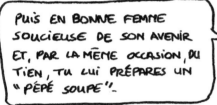

BONUS

Comme l'indique son nom, cette soupe se faisait très pimentée à l'origine mais elle s'adapte au goût de chacun !

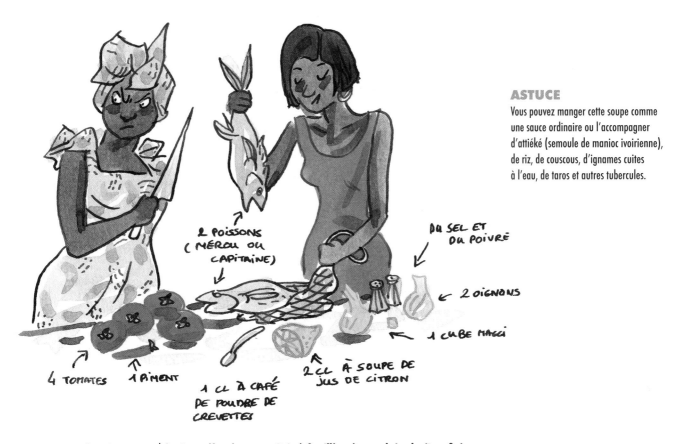

2 POISSONS
(MÉROU OU
CAPITAINE)

DU SEL ET
DU POIVRE

2 OIGNONS

1 CUBE MAGGI

4 TOMATES

1 PIMENT

1 CL À CAFÉ
DE POUDRE DE
CREVETTES

2 CL À SOUPE DE
JUS DE CITRON

**Pour 4 personnes | 2 poissons (du mérou ou capitaine), 2 cuillères à soupe de jus de citron, 2 oignons,
4 tomates, 1 piment (facultatif), 1 cube Maggi, sel et poivre, 1 cuillère à café de poudre de crevettes**

Tu fais bouillir à feu vif le poisson dans 1,5 litre d'eau pendant 20 minutes
environ. Pendant ce temps, coupe les tomates, les oignons. Retire le poisson
du bouillon et mets-y les légumes en dés. Laisse cuire 10 minutes.
Ensuite, ajoute le piment, le jus de citron et le cube selon ton goût,
ainsi qu'une pincée de sel et poivre. Remets le poisson dans
la sauce et laisse mijoter à feu doux pendant une quinzaine
de minutes environ. Sers bien chaud !

En accompagnement : du beau riz blanc.

GOUAGOUASSOU

OU COMMENT FAIRE CROIRE À SA MOITIÉ QU'ON A PASSÉ LA JOURNÉE À CUISINER...

Le gouagoussou est un plat baoulé, une ethnie du sud de la Côte d'Ivoire, qui signifie « rajoute-en encore »
ou « mets-en dessus ». C'est un plat que font les femmes lorsqu'elles sont pressées.

Fatou a des soucis. Il est presque 19 heures. Son mari va bientôt rentrer du travail. Elle n'a même pas commencé
le repas, tout ça parce qu'elle regardait sa série brésilienne préférée « Femmes de Sable » à la télé.

Pas de panique Fatou, souviens-toi du proverbe de nos chères mères : « L'enfant qui a perdu sa mère suce le lait
de sa grand-mère ». Je traduis : « À circonstances exceptionnelles, moyens exceptionnels ».

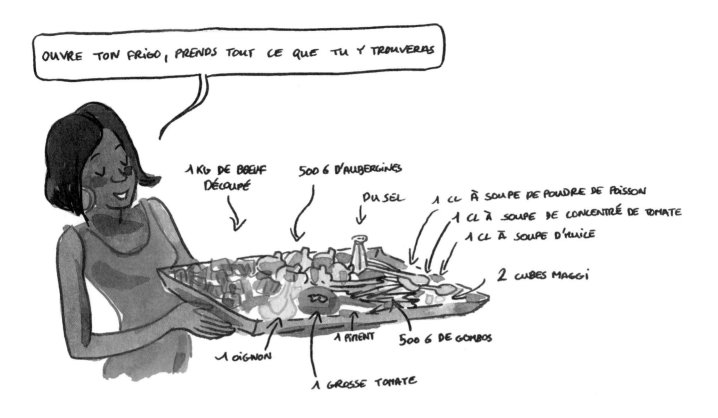

Pour 4 personnes | 1 kg de bœuf découpé, 500 g de gambas, 500 g d'aubergines, 1 grosse tomate, 1 gros oignon, 1 piment, 1 cuillère à soupe de poudre de poisson, 1 cuillère à soupe de concentré de tomate, 1 cuillère à soupe d'huile, 2 cubes Maggi, sel

Mets une marmite sur le feu avec l'huile, la moitié de l'oignon coupé en dés et la viande. Fais revenir le mélange pendant 20 minutes.
Ajoute le concentré de tomate, la poudre de poisson, les aubergines fendues en deux, les gambas, la tomate, l'oignon, et écrase le tout grossièrement pour obtenir une pâte homogène. Rajoute cette pâte dans ta casserole.
Prends soin d'enlever le piment pour éviter qu'il ne s'écrase dans la sauce.
Ajoute le deuxième cube Maggi. Laisse mijoter le tout pendant 20 minutes.
Fatou, sers ce délicieux mets avec du riz ou de l'attiéké* à ta moitié, en te plaignant de ta condition de femme au foyer débordée.

* Le riz et l'attiéké sont plus rapides à cuisiner que le foutou par exemple.

LA SAUCE ARACHIDE

LA SAUCE DE L'HOMME FORT

La sauce arachide est un plat qui, d'après les Ivoiriens, donne de la force. Elle est faite à base de pâte d'arachide, et lorsque l'on sait que l'arachide est riche en matière grasse, en hydrate de carbone, en protéines, en potassium et en vitamine E, on comprend les Ivoiriens, et surtout on ne les contredit pas. Alasko, le «gros bras» le plus connu d'Abidjan, ne jure que par cette sauce, et il en mange, dit-il, tous les jours que Dieu fait. Au petit déjeuner, c'est sauce avec riz, suivie de la séance de musculation (3 heures). Au déjeuner, il se régale de sauce accompagnée d'un gros plat de foutou, puis petite sieste d'une heure avant de passer l'après-midi à soulever des voitures ! Enfin, le soir, Alasko dîne d'un grand bol de sauce arachide avant de regagner son poste de vigile dans la plus célèbre boîte de nuit de la capitale. Bien sûr, vous n'êtes pas obligé d'être comme Alasko, un consommateur compulsif de sauce arachide mais il faut reconnaître que non seulement elle est délicieuse et peut aussi bien accompagner tous les légumes – igname, pomme de terre, banane plantain, patate douce – et céréales – riz, attiéké, couscous… – mais aussi qu'elle est extrêmement nourrissante.

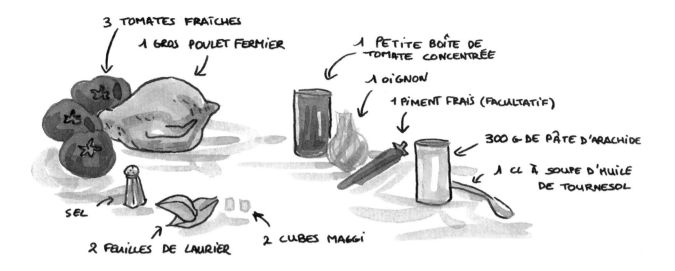

3 TOMATES FRAÎCHES

1 GROS POULET FERMIER

1 PETITE BOÎTE DE TOMATE CONCENTRÉE

1 OIGNON

1 PIMENT FRAIS (FACULTATIF)

300 G DE PÂTE D'ARACHIDE

1 CL À SOUPE D'HUILE DE TOURNESOL

SEL

2 FEUILLES DE LAURIER

2 CUBES MAGGI

Pour 4 gros bras | 300 g de pâte d'arachide, 1 gros poulet fermier, 3 tomates fraîches, 1 oignon, 1 petite boîte de concentré de tomate, 1 piment frais (facultatif), 1 oignon, 2 cubes Maggi, 1 cuillère à soupe d'huile de tournesol, 2 feuilles de laurier, sel

Découpez le poulet et faites-le revenir 5 minutes dans une casserole avec la cuillerée d'huile et l'oignon coupé en dés. Ajoutez les tomates, le deuxième oignon, le concentré de tomate, le sel, éventuellement le piment et 1,5 litre d'eau. Laissez bouillir 20 minutes. Pendant ce temps, mélangez dans un bol la pâte d'arachide avec un peu d'eau froide afin d'obtenir une pâte lisse que vous verserez dans la casserole. Mélangez bien le tout et laissez bouillir 30 minutes. À l'aide d'une passoire, retirez les tomates et les oignons, mixez-les et reversez cette préparation dans la casserole. Ajoutez un cube Maggi, du sel, les deux feuilles de laurier et faites cuire encore 30 minutes. Rectifiez l'assaisonnement en rajoutant si nécessaire le deuxième cube Maggi et laissez mijoter encore 20 minutes. Il est nécessaire que la pâte d'arachide cuise longtemps. Vous servirez cette sauce accompagnée de foutou banane, d'igname ou de riz…

LE POULET BICYCLETTE

Vous n'avez jamais entendu parler du poulet « bicyclette » ?
Honte et déréliction ! Comme on dirait chez les gens
cultivés ! Mais il n'est pas trop tard et ne dit-on pas
que « les échanges réciproques sont nécessaires
à l'enrichissement de chacun ». Donc respectivement
parlant, je vous raconte l'histoire de ce poulet.
Le poulet bicyclette est notre poulet national, qui s'élève
seul en vivant dans la rue où il picore, à la force du jarret,
tout ce qu'il trouve. Gringalet, maigrichon, pédalant
avec ses longues pattes (d'où le surnom de bicyclette),
libre et fier sous la chaleur.

En d'autres termes, c'est un poulet qui se cherche, comme la plupart de ses frères et sœurs humains, sauf que lui c'est pour finir ferme et goûteux dans nos palais, et ce, pour notre plus grand plaisir gustatif.

Il ne faut surtout pas le confondre avec son cousin français (désolée mais la comparaison était trop évidente), le poulet de chair, surnommé aussi « le poulet blanc », aseptisé, gonflé aux hormones, gavé de farine animale, élevé en batterie, gras, sans goût, ni saveur… (bon, j'arrête, le livre est censé vous donner envie de manger) pour finir aussi dans nos palais.

Notre poulet bicyclette est tellement bon qu'il passe à la télé, c'est le poulet télévisé. Entendez : grillé dans une rôtisserie. Ce qui nous permet de le voir (il est si beau) comme s'il passait à la télé… hummmm…

Alors cotcotiquement parlant.

LE POULET BICYCLETTE BRAISÉ

de Natou

Raïssa, Natou et Angèle se remémorent leur premier dîner avec leurs amoureux et surtout les plats, grâce auxquels ils se sont unis pour la vie… Toute une histoire. Ces plats, les grillades spécialement, se mangent facilement dans les « maquis », restaurants en plein air, à toute heure du jour ou de la nuit, dans tous les coins et recoins des quartiers des grandes villes du pays, mais ils peuvent également se cuisiner à la maison.

Mon Sérigne était nouveau dans le quartier. Toujours discret, poli mais tellement stylé et tendance. Il était la convoitise de toutes les jeunes femmes du coin.

Même s'il m'intéressait, je n'aillais pas me rabaisser à glousser sur son passage comme les autres. Il remarqua mon indifférence « déguisée » à son égard et vint me voir un soir pour me demander la raison de cette attitude. N'écoutant que mon courage, je l'invitais à dîner dans le maquis d'Adjoua. Il fut surpris mais accepta. J'avais choisi ce restaurant parce que je savais qu'il serait rempli de toutes les filles du quartier et que tous les yeux seraient rivés sur nous. Ce qui fut le cas ! Le maquis d'Adjoua était réputé pour son poulet braisé. Nous en avons alors pris un pour deux. Lorsque le plat arriva, je demandai à mon Sérigne « l'aile ou la cuisse ? » Il adorait l'aile et moi la cuisse. Et le miracle se produisit lorsque nous portâmes nos viandes à la bouche. Nous étions en symbiose et cela dure jusqu'à aujourd'hui les filles. Depuis, nous ne jurons que par « le poulet bicyclette braisé ».

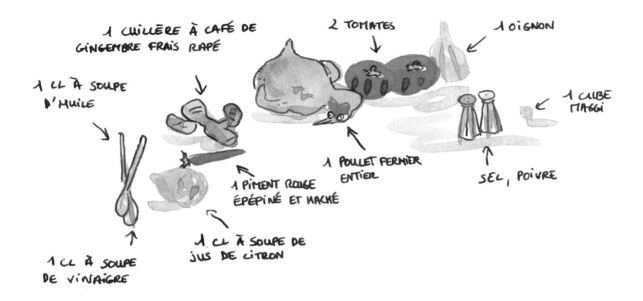

1 CUILLÈRE À CAFÉ DE GINGEMBRE FRAIS RÂPÉ

2 TOMATES

1 OIGNON

1 CL À SOUPE D'HUILE

1 POULET FERMIER ENTIER

1 CUBE MAGGI

1 PIMENT ROUGE ÉPÉPINÉ ET HACHÉ

SEL, POIVRE

1 CL À SOUPE DE VINAIGRE

1 CL À SOUPE DE JUS DE CITRON

Pour 2 amoureux | 1 poulet fermier entier, 1 cuillère à café de gingembre râpé, 1 piment rouge épépiné et haché (pas obligatoire), 1 cuillère à soupe de vinaigre, 1 cuillère à soupe d'huile, 2 tomates, 1 oignon, 1 cube Maggi, sel et poivre

Préparation de la marinade : dans un saladier, mélangez le jus de citron, le gingembre, le piment, le vinaigre, le sel, le poivre et le cube Maggi. Ouvrez le poulet en deux sur le dos à l'aide d'un couteau très tranchant. Attention à ne pas le couper entièrement. Faites-le macérer deux heures dans la marinade. Faites cuire le poulet sur la braise 15 minutes de chaque côté ou dans le four 40 minutes à 180° C.
Pendant ce temps, coupez les tomates et les oignons en fines lamelles. Mélangez-les dans le reste de la marinade. Disposez dans chaque assiette un morceau de poulet et la salade.
Servez ce plat avec des allocos, des patates douces, des ignames frites ou de l'attiéké.

LES BROCHETTES DE FILET DE MÉROU

d'Angèle

Mon Séraphin a fait ses études en France et, son diplôme d'ingénieur en poche, il est revenu vivre auprès de ses parents. Mais la France l'a fragilisé, car elle lui a donné une maladie appelée le végétarisme. Il ne mangeait plus ni viande ni poisson. Vous vous imaginez la catastrophe ! Il faisait pitié à voir, tout pâle et maigre. Je ne pouvais pas vivre avec un homme qui ne mange pas de viande, alors que moi je suis une vraie carnassière. Notre amour était menacé ! J'ai essayé alors de lui dire tous les bienfaits de la viande et du poisson pour le corps humain. Mais mon Séraphin est aussi déterminé qu'intelligent. Alors j'ai décidé de passer à l'étape supérieure suivante, car «ce qu'on ne peut faire bouillir, on le grille». Quand on ne peut réussir d'une façon, on s'y prend d'une autre ! Mes copines, j'ai déguisé des cubes de filets de poissons en légumes que j'ai ensuite fait cuire au barbecue.

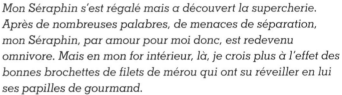

Mon Séraphin s'est régalé mais a découvert la supercherie. Après de nombreuses palabres, de menaces de séparation, mon Séraphin, par amour pour moi donc, est redevenu omnivore. Mais en mon for intérieur, là, je crois plus à l'effet des bonnes brochettes de filets de mérou qui ont su réveiller en lui ses papilles de gourmand.
Aujourd'hui, il ne jure que par le mérou, pour sa chair ferme et son goût délicat ! Il est si fin mon Séraphin...

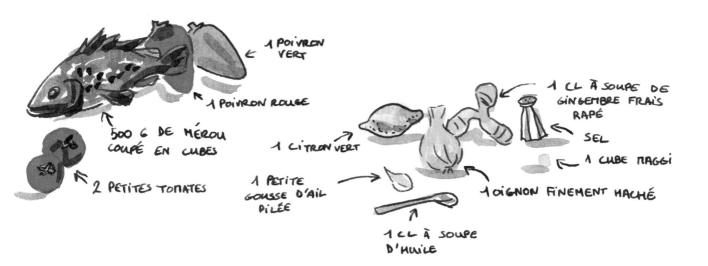

1 POIVRON VERT

1 POIVRON ROUGE

500 G DE MÉROU COUPÉ EN CUBES

2 PETITES TOMATES

1 CITRON VERT

1 PETITE GOUSSE D'AIL PILÉE

1 CL À SOUPE D'HUILE

1 CL À SOUPE DE GINGEMBRE FRAIS RAPÉ

SEL

1 CUBE MAGGI

1 OIGNON FINEMENT HACHÉ

Pour 2 amoureux | 500 g de mérou coupé en cubes, 2 petites tomates, 1 poivron vert, 1 poivron rouge
La marinade : 1 citron vert, 1 oignon finement haché, 1 cuillère à soupe de gingembre frais râpé,
1 petite gousse d'ail pilée, 1 cuillère à soupe d'huile, sel, 1 cube Maggi

Mes copines, pour un dîner léger en amoureux…
Pressez le citron et incorporez le jus obtenu aux ingrédients pour
la marinade (l'oignon, le gingembre, l'ail, l'huile, le sel et le cube Maggi).
Placez les cubes de mérou dans un saladier et versez la marinade dessus
en mélangeant bien pour en imprégner le poisson. Mettez-le au frais
pendant au moins 2 heures en remuant de temps en temps.
Coupez et épépinez les tomates et les poivrons. Faites les brochettes
en alternant poisson, tomates et poivrons et faites-les griller au barbecue
pendant 10 minutes ou au four 30 minutes. Prenez soin de les badigeonner
plusieurs fois avec le reste de la marinade. Attention à ne pas faire cuire
à feu trop fort.

Servez les brochettes en les accompagnant d'attiéké et de sauce tomate.

LE POISSON BRAISÉ
de Raïssa

*Mon Serge était le meilleur ami de mon grand frère. À chaque fois qu'il venait
à la maison et me parlait, je bafouillais, rougissais et allais me cacher dans
ma chambre. Puis un jour, mon frère invita des amis à dîner à la maison
et me demanda de préparer le repas pour eux. Serge était parmi les invités
et je tremblais déjà à l'idée qu'il n'apprécie pas ma cuisine. Je leur concoctais
alors du «poisson braisé». Ils se sont régalés et lorsque Serge a su que c'était
moi la cuisinière, il m'a murmuré à l'oreille : «Tu es épousable, Raïssa».
Et trois ans plus tard, je l'ai épousé.*

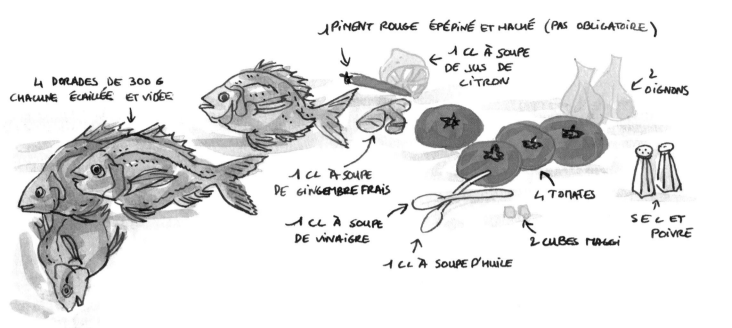

4 DORADES DE 300 G CHACUNE ÉCAILLÉE ET VIDÉE

1 PIMENT ROUGE ÉPÉPINÉ ET HACHÉ (PAS OBLIGATOIRE)

1 CL À SOUPE DE JUS DE CITRON

2 OIGNONS

1 CL À SOUPE DE GINGEMBRE FRAIS

1 CL À SOUPE DE VINAIGRE

1 CL À SOUPE D'HUILE

4 TOMATES

2 CUBES MAGGI

SEL ET POIVRE

Pour 4 copains | 4 dorades de 300 g chacune écaillées et vidées, 1 cuillère à soupe de gingembre râpé, 1 piment rouge épépiné et haché (pas obligatoire), 2 cuillères à soupe de jus de citron, 1 cuillère à soupe de vinaigre, 1 cuillère à soupe d'huile, 2 oignons, 2 cubes Maggi, sel et poivre

Dans un saladier, préparez la marinade en mélangeant le jus de citron, le gingembre, le vinaigre, le sel, le poivre et le cube Maggi. Faites deux légères entailles sur les côtés de chaque poisson et badigeonnez-les de la marinade. Laissez reposer 10 minutes pour bien imprégner la chair. Pendant ce temps, allumez le barbecue ou le four (180°), puis coupez les tomates et les oignons en fines lamelles. Mélangez-les dans le reste de la marinade.
Mettez les poissons sur la braise 15 minutes de chaque côté ou au four une heure. Retournez-les à mi-cuisson. Une fois cuit, posez chaque poisson sur une assiette. Disposez autour la salade de tomates et d'oignons. Parsemez le tout de ciboulette hachée. Accompagnez de riz, d'alloco ou l'attiéké.

Bon appétit !

BROCHETTES AUX 3 VIANDES
de Mouna

Mon Jimmy et moi, c'était un amour impossible. On n'était pas du même milieu. Moi, je suis d'une classe moyenne. C'est-à-dire une classe intermédiaire entre riches et pauvres, qui avait le minimum pour vivre à l'abri du besoin, ou tout le moins, qui parvenait à satisfaire les besoins de la vie courante sans trop de privations. Ce qui n'était pas le cas de mon Jimmy qui, pour survivre, faisait l'aide cuisinier du vendeur de « choukouya ». Cela lui permettait notamment de payer la studette où l'on se retrouvait en cachette. Il me rapportait à chacun de nos rendez-vous de délicieuses brochettes de viande. Lorsque mon père a su que je voyais Jimmy, il a voulu m'enfermer, mais je me suis enfuie pour retrouver mon Jimmy. Et je lui ai juré alors de ne plus revoir les miens. Mais mon Jimmy savait que cela allait rendre notre amour sans joie. Il me ramena à mon père en me promettant de revenir lui demander ma main dans 12 mois, le temps qu'il soit digne de se faire accepter par ma famille.

Et un an plus tard, mon Jimmy ouvrait son maquis et m'épousait, car « nul ne renonce à ce qu'il a mangé », et mon Jimmy et moi, ne pouvions nous passer l'un de l'autre.

Il inventa la recette des « brochettes aux 3 viandes de Mouna » en mon honneur. Et depuis, notre amour s'épanouit dans une atmosphère sereine et dégustative.

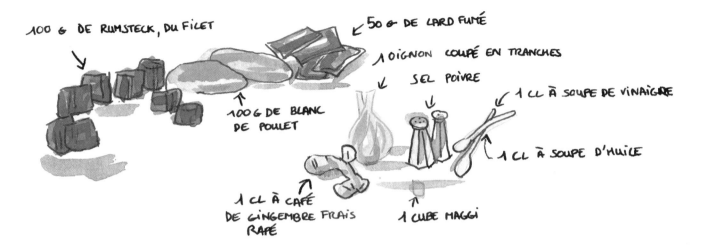

100 G DE RUMSTECK, DU FILET

50 g DE LARD FUMÉ

1 OIGNON COUPÉ EN TRANCHES

100 G DE BLANC DE POULET

SEL POIVRE

1 CL À SOUPE DE VINAIGRE

1 CL À SOUPE D'HUILE

1 CL À CAFÉ DE GINGEMBRE FRAIS RÂPÉ

1 CUBE MAGGI

Pour 2 amoureux | 100 g de rumsteck ou filet, 100 g de blanc de poulet, 50 g de lard fumé, 1 oignon coupé en tranches, 1 cuillère à soupe d'huile, 1 cuillère à soupe de vinaigre, 1 cuillère à café de gingembre frais râpé, sel et poivre

Coupez le filet de bœuf et le blanc de poulet en gros cubes. Coupez le lard fumé en lardons. Dans un saladier, mélangez le gingembre, le vinaigre, l'huile, le cube Maggi, le sel et le poivre. Ajoutez les cubes de viande. Laissez mariner le tout 1 heure. Montez les cubes de viande sur des piques à brochettes en alternant bœuf, poulet, lard et une tranche d'oignon. Préparez le barbecue et faites griller les brochettes pendant 20 minutes en les retournant à la mi-cuisson ou sur la grille du four (180°-200°). Servez les brochettes avec des allocos, une salade verte, des pommes de terre en purée ou en frites, des légumes verts, etc.

LA SAUCE GRAINE

C'est le plat par excellence des grandes occasions chez les Bébés, une ethnie du grand ouest du pays, mais elle se laisse volontiers accommoder aux goûts de chacun dans tout le pays. La sauce graine est faite à base de graines de palme. Les fruits sont triés, lavés, blanchis, dénoyautés, bouillis et enfin pilés dans un mortier. La pâte obtenue est mise dans l'eau et filtrée pour obtenir le jus. Tout ça ne donne pas très envie de se lancer dans la recette et puis la personne qui a dit « qu'une chose obtenue sans peine n'avait pas de valeur » est un sot ! Heureusement, quelques génies ont eu la bonne idée de fabriquer des machines à extraire le jus de graines et à le mettre en boîte. Nous n'avons plus besoin de souffrir pour manger cette délicieuse préparation. Et je peux vous assurer que grâce à ces boîtes (à se procurer dans les boutiques afro-antillaises), le goût et la saveur de cette sauce sont également au rendez-vous. D'accord, ce n'est pas l'avis de ma mère qui me trouve bien paresseuse et je dois la supplier pour qu'elle goûte mon plat, ce qu'elle fait finalement tout en me dénigrant.

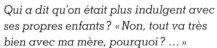

Qui a dit qu'on était plus indulgent avec ses propres enfants ? « Non, tout va très bien avec ma mère, pourquoi ? ... »

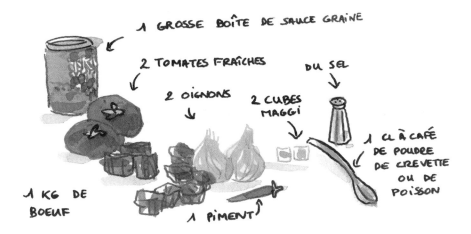

1 GROSSE BOÎTE DE SAUCE GRAINE

2 TOMATES FRAÎCHES

DU SEL

2 OIGNONS

2 CUBES MAGGI

1 CL À CAFÉ DE POUDRE DE CREVETTE OU DE POISON

1 KG DE BOEUF

1 PIMENT

Pour 4 mamans adorées | 1 grosse boîte de sauce graine, 1 kg de viande de bœuf, 2 tomates fraîches, 2 oignons, 1 piment, 2 cubes Maggi, sel, 1 cuillère à café de poudre de crevettes ou de poisson

Découpez la viande en gros dés et mettez les morceaux dans une casserole avec un oignon coupé en dés. Saisissez le mélange 10 minutes à feu moyen. Ajoutez le jus de palme, salez et portez à ébullition 10 minutes. Ajoutez les tomates coupées en deux, le piment, la poudre de crevettes ou de poisson, un cube Maggi et un litre d'eau. Laissez bouillir 30 minutes sans éteindre le feu. Mélangez les tomates, l'oignon, le piment (pas obligatoire de l'écraser) et passez le tout au mixer ou au mortier. Ajoutez la pâte ainsi obtenue à la sauce et laissez cuire encore 30 minutes en rectifiant l'assaisonnement. La sauce est cuite lorsqu'un dépôt d'huile se forme au-dessus. Écumez l'huile avec une grosse louche. C'est prêt !

La sauce graine s'accompagne volontiers de foutou-banane, de riz blanc, d'attiéké, d'igname ou de manioc bouilli.

LA MARMITE DU PÊCHEUR

OU COMMENT TOUT OBTENIR (OU PRESQUE) DE SA MOITIÉ

Ce plat est tellement recherché, délicat, rare et délicieux que les femmes le préparent lorsqu'il n'y a plus rien à faire et que tout a été tenté. J'ai retenu quelques témoignages des prouesses de ce plat. Ainsi, grâce à lui, Delta a convaincu sa moitié de lui faire un enfant, alors que cela semblait perdu d'avance. Son homme était si réfractaire qu'il préférait même la séparation… Sidonie, elle, a pu faire accepter par son homme que sa mère habite avec eux pendant les six premiers mois de la naissance de leur bébé. Ce qui n'était pas gagné d'avance… Quant à Éloïse, elle a obtenu que sa moitié l'aide à faire le ménage une fois par semaine.
Alors les filles, rien que pour cette dernière action, voici la recette magique.

Bonne chance !

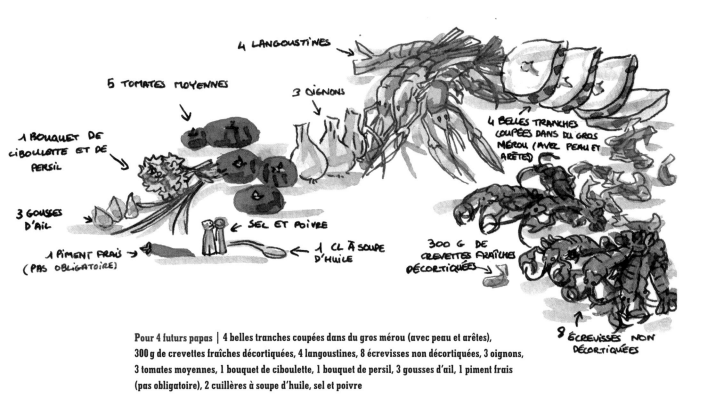

4 LANGOUSTINES

5 TOMATES MOYENNES

3 OIGNONS

4 BELLES TRANCHES COUPÉES DANS DU GROS MÉROU (AVEC PEAU ET ARÊTES)

1 BOUQUET DE CIBOULETTE ET DE PERSIL

3 GOUSSES D'AIL

SEL ET POIVRE

1 PIMENT FRAIS (PAS OBLIGATOIRE)

1 CL À SOUPE D'HUILE

300 G DE CREVETTES FRAÎCHES DÉCORTIQUÉES

8 ÉCREVISSES NON DÉCORTIQUÉES

Pour 4 futurs papas | 4 belles tranches coupées dans du gros mérou (avec peau et arêtes),
300 g de crevettes fraîches décortiquées, 4 langoustines, 8 écrevisses non décortiquées, 3 oignons,
3 tomates moyennes, 1 bouquet de ciboulette, 1 bouquet de persil, 3 gousses d'ail, 1 piment frais
(pas obligatoire), 2 cuillères à soupe d'huile, sel et poivre

Pelez les oignons et l'ail, équeutez les tomates. Ébouillantez le tout pendant
5 minutes, puis égouttez et écrasez grossièrement dans un saladier. Réservez.
Dans une autre casserole, faites bouillir le poisson dans environ 1 litre d'eau
un peu salée. Retirez-le lorsqu'il est presque cuit. Réservez le bouillon obtenu.
Hachez le persil et la ciboulette que vous ajouterez au bouillon en même temps
que les légumes écrasés et le piment.
Salez et poivrez à votre convenance. Faites cuire à feu moyen pendant
20 minutes. Lorsque la sauce devient épaisse, mettez-y les langoustines,
les écrevisses, les crevettes puis le poisson. Laissez mijoter encore 10 minutes.
C'est prêt ! Servez « la marmite du pêcheur » accompagnée de riz !

Bonne régalade !

LE KÉDJÉNOU DE POULET

OU COMMENT AIDER VOTRE FEMME ENCEINTE À BIEN TERMINER SA GROSSESSE

Je m'adresse personnellement à toi, mon ami homme.
Ta femme est enceinte jusqu'au cou. C'est la dernière ligne
droite avant l'accouchement. Tu ne la reconnais plus.
Elle est énorme, fatiguée, respire mal. Elle a envie de vomir
dès qu'elle avale quelque chose, a des horribles remontées
acides. Tu ne sais plus quoi faire pour l'aider et surtout
tu ne veux pas que ton bébé subisse tout le stress et le mal-être
de sa maman. Bref, qu'il démarre sa vie sur de mauvaises
bases. Parce que tu sais très bien que « le fœtus ne connaît
pas de mois », l'enfant n'est pas responsable des actes
de ses parents. Alors, sois responsable avant l'arrivée du bébé,
montre ton soutien à ta femme. Prépare lui le « kédjénou
de poulet ».

Ce plat signifie « mélanger » en baoulé (une ethnie du sud
du pays). Le poulet est cuit à l'étouffée, sans adjonction
de matière grasse. Il mijote lentement dans son propre jus.
Il faut juste remuer la casserole très doucement tout le long
de la cuisson.

Mon ami, ta femme se portera mieux après avoir mangé
le kédjénou. Bonne chance !

1 BOTTE D'OIGNONS VERTS

1 PIMENT FRAIS (FACULTATIF)

DU SEL

1 FEUILLE DE LAURIER

1 CUBE MAGGI

2 OIGNONS

3 GOUSSES D'AIL

5 TOMATES FRAÎCHES

1 GROS POULET FERMIER

Pour 4 copines enceintes | 1 gros poulet fermier, 4 ou 5 tomates fraîches, 1 botte d'oignons verts, 3 gousses d'ail, 2 oignons, 1 cube Maggi, 1 feuille de laurier, 1 piment frais (facultatif), sel

Mon ami,
Choisis une marmite à kédjénou de préférence, mais si tu n'en as pas, une cocotte-minute fera aussi bien l'affaire. Mets-y le poulet découpé, les tomates pelées et coupées grossièrement, l'ail pilé et mélangé au cube Maggi, les oignons verts hachés, le piment*, le laurier et l'oignon en lamelles. Sale à ta convenance, ajoute un peu d'eau, puis referme bien la marmite ou la cocotte de façon à ce qu'aucune vapeur n'en sorte au cours de la cuisson. Tu remueras de temps en temps en tenant la casserole par les poignées sans l'ouvrir pendant les 45 minutes que durera la cuisson et baisse le feu pour les 15 dernières minutes.

Accompagne ce plat avec du riz ou de l'attiéké mais il peut se boire aussi tout simplement en sauce.

* Le gingembre remplacera agréablement le piment et parfumera délicatement ton kédjénou.

LA SAUCE PISTACHE

"COMMENT RÉCUPÉRER SON MARI QUI FAIT SA CRISE DE LA QUARANTAINE"

Tchala est en ballotage. Son mari est amoureux d'une autre femme certes plus jeune, mais pas forcément meilleure cuisinière. Sa première réaction serait d'aller serrer la main de cette rivale sans rancune, en la remerciant de la débarrasser de ce goujat, mais voilà, elle a tout de même trois enfants.

> NON, NON, NE VA PAS CASSER LES DENTS A CETTE FEMME CAR LA MÉTHODE FORTE N'EST PAS LA PLUS EFFICACE.

> NON, NON, NE DÉCHIRE PAS TOUS LES VÊTEMENTS DE TON MARI CAR LE TACT EST NÉCESSAIRE POUR OBTENIR DE BONS RÉSULTATS.

> SI TU VEUX QUE TO[N] MARI REVIENNE LÀ, F[...] LE MANGER. ET CUISINE S[...] PLAT PRÉFÉRÉ, CELUI O[U] FAISAIT SA MAMAN ET QU[...] TU N'AS JAMAIS SU ÉGAL[...] SAUF QUE CETTE FOIS-C[I...] DEMANDE AUX VIEILLE[S] MÈRES DE T'AIDER.

Tchala cuisina et invita son mari pour discuter d'affaires conjugales. A-t-il réintégré la maison ? On raconte que oui, même si on le voit toujours traîner du côté des célibataires…
Ah votre belle-mère ne savait pas cuisiner ? Votre mari n'a pas connu sa mère ? Essayez tout de même ce plat de l'Est ivoirien pour sa délicate préparation et surtout pour sa délicieuse saveur. À défaut de faire revenir votre mari, vous êtes sûres de bien manger !

La sauce pistache est moins grasse que la sauce arachide.

1 BOL DE PÂTE DE PISTACHE

3 TOMATES FRAÎCHES

1 OIGNON

1 POULET

3 PETITES BOÎTES DE TOMATE CONCENTRÉE

5 OU 6 PIMENTS (OU PAS)

2 CL À SOUPE D'HUILE

2 CUBES MAGGI

Pour 4 ex-futurs | 300 g de pâte de pistache (à acheter dans les magasins afro-antillais), 3 tomates fraîches, 1 petite boîte de concentré de tomate, 1 piment frais (facultatif), 1 poulet fermier, 2 oignons, 2 cubes Maggi, 1 cuillère à soupe d'huile, sel

Découpez le poulet et faites-le revenir 5 minutes dans une casserole avec la cuillerée d'huile et l'oignon coupé en dés. Ajoutez les tomates, le deuxième oignon, le concentré de tomate, le sel, éventuellement le piment et 1,5 litre d'eau. Laissez bouillir 20 minutes.
Pendant ce temps, mélangez dans un bol, la pâte de pistache avec un peu d'eau froide afin d'obtenir une pâte lisse que vous verserez dans la casserole. Mélangez bien le tout et laissez bouillir 30 minutes. À l'aide d'une passoire, retirez les tomates et les oignons, mixez-les et reversez cette préparation dans la casserole. Ajoutez un cube Maggi, du sel, et faites cuire encore 30 minutes. Rectifiez l'assaisonnement en rajoutant si nécessaire le deuxième cube Maggi et laissez mijoter encore 20 minutes. Il est nécessaire que la pâte de pistache cuise longtemps.
Vous servirez cette sauce accompagnée de foutou banane, d'igname ou de riz…

AKPÉSSI DE BANANES

Lorsque les choses vont mal, que trop de souffrances s'abattent sur elles, que le malheur stationne longtemps dans la même maison, les femmes de mon quartier tentent de se rassurer (après tout le malheur surprend toujours) en voyant dans toutes ces difficultés un défi qui leur est lancé et qu'elles vont devoir encore une fois relever. Elles disent aussi que la vie est un combat quotidien, qui requiert une constante vigilance. Et ce défi, c'est de faire confiance et de croire à la force que l'on trouve en nous mais aussi autour de nous, et partout. Cette force peut prendre plusieurs formes : rester digne, avoir confiance en soi et faire confiance aux autres. Oui, accepter l'aide de ceux qui souhaitent partager nos peines. D'ailleurs, ces femmes disent souvent que si tu vois un malheur arriver à ton amie, dis-toi qu'il peut t'arriver aussi. Cuisiner et partager un « akpéssi de bananes » était un des moyens d'apporter ce réconfort et ce soutien. Est-ce pour sa délicate et longue préparation, son mélange de fruits de mer et fruits de la forêt, ou tout simplement pour son goût délicieux ?
Quoiqu'il en soit, j'ai été heureuse, petite, sans le savoir, d'avoir contribué simplement en étant là, à apaiser certains cœurs affligés, et ravie de continuer à le faire aujourd'hui, quand je retourne au pays, en participant à la préparation de l'akpéssi mais aussi au réconfort qui l'accompagne.
Mes copines, tout ça pour vous dire que dans le malheur, il ne faut jamais rester seules.

Vous pouvez utiliser aussi de l'igname pour ce plat, qui prend alors le nom d'akpéssi d'ignames.

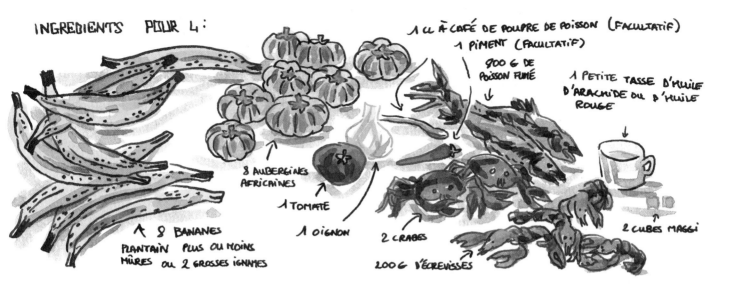

INGREDIENTS POUR 4 :

8 AUBERGINES AFRICAINES

1 TOMATE

1 OIGNON

8 BANANES PLANTAIN PLUS OU MOINS MÛRES OU 2 GROSSES IGNAMES

2 CRABES

200 G D'ÉCREVISSES

1 CU À CAFÉ DE POUDRE DE POISSON (FACULTATIF)

1 PIMENT (FACULTATIF)

200 G DE POISSON FUMÉ

1 PETITE TASSE D'HUILE D'ARACHIDE OU D'HUILE ROUGE

2 CUBES MAGGI

Pour 4 personnes | 8 bananes plantain (plus ou moins mûres) ou 2 grosses ignames, 8 aubergines africaines, 1 tomate, 1 oignon, 1 piment (facultatif), 1 cuillère à café de poudre de poisson (facultatif), 2 crabes, 200 g d'écrevisses, 1 petite tasse d'huile d'arachide ou d'huile rouge (de graine), 2 cubes Maggi

Épluchez les bananes ou les ignames. Coupez-les en morceaux de taille moyenne et faites-les cuire dans une casserole remplie d'eau. Équeutez et lavez les aubergines, les tomates et éventuellement le piment. versez le tout dans la casserole en ajoutant un l'oignon épluché, les crabes et les écrevisses préalablement lavés. Laissez mijoter le tout à feu moyen pendant 25 à 30 minutes. Pendant ce temps, ôtez la peau et les arêtes du poisson fumé. Chauffez-le 5 minutes au four. Ôtez la casserole du feu. Réservez les bananes au chaud. Mettez les oignons, tomates, aubergines et piment (facultatif) dans un mixeur et écrasez-les. Dans une autre casserole, chauffez l'huile et faites-y revenir la poudre de poisson (attention ça sent assez fort) pendant 2 minutes. Ajoutez la pâte et les cubes Maggi. Laissez mijoter 5 minutes. Servez cette sauce accompagnée des bananes et du poisson fumé.

Si vous n'appréciez pas le poisson fumé, des côtelettes d'agneau grillées feront très bien l'affaire.

LE BIÉKO-SEU

"PLAT ÉQUILIBRÉ"

Tabany a des soucis. Son mari grossit, surtout du ventre. Si tout le quartier la félicite de bien nourrir son homme, à l'intérieur de sa maison, surtout dans leur chambre et sur leur lit, c'est la catastrophe, car ce gros ventre est un « tue l'amour » !

Mais elle ne va pas le quitter pour ça, surtout que « personne ne prend deux fois la sauce au piment », on ne se remarie pas aussi facilement. Tantie Affoué, en connaisseuse avisée, lui conseille de lui faire un régime à base de « biéko-seu ». En attié, une ethnie du centre sud du pays, biéko-seu signifie « la sauce au jus de piment et au poisson cuit à l'étouffée ». C'est un habile mélange des produits de la terre et de la mer, et surtout c'est un plat équilibré, peu riche en graisses. Sa préparation est longue et délicate, mais le goût final en vaut la peine.

8 AUBERGINES AFRICAINES

1 POIGNÉE DE GNANGNANS

1 PIMENT FRAIS (FACULTATIF)

3 BELLES TOMATES

2 OIGNONS

DU SEL

2 CUBES MAGGI

6 MACHOIRONS FRAIS (POISSON-CHAT)

2 OIGNONS

1 CUBE MAGGI

1 CL À SOUPE D'HUILE D'ARACHIDE

4 TOMATES

DU SEL

Pour 6 futurs minces mangeurs | **La sauce aubergine** : 8 aubergines africaines, 1 poignée de gnangnan, 1 piment frais, 3 belles tomates, 2 oignons, 2 cubes Maggi, sel | **Le poisson à la sauce piquante** : 6 machoirons frais (le poisson-chat), 1 piment, 4 tomates, 2 oignons, 1 cuillère à soupe d'huile d'arachide, 1 cube Maggi, sel

1ère étape : la sauce aubergine
Équeutez les aubergines. Coupez-les en deux dans le sens de la hauteur. Pelez les oignons et coupez-les en lamelles très fines. Dans une casserole contenant 1,5 litre d'eau et une pincée de sel, mettez à bouillir aubergines, tomates, oignons et piment pendant 30 à 35 minutes. Pendant ce temps, vous pouvez déjà découper les légumes de la deuxième étape et les écraser. Retirez les aubergines, les tomates, les oignons, le piment, puis écrasez-les avant de les remettre dans le bouillon que vous aurez laissé mijoter. Au bout de 30 minutes de cuisson, ajoutez les deux cubes Maggi et laissez mijoter encore 10 minutes à feu doux.

2e étape : le poisson sauce piquante
Tapissez l'intérieur d'un faitout ou d'une cocotte-minute de feuilles de jonc (feuilles d'attiéké). Si vous n'en trouvez pas, du papier d'aluminium fera l'affaire. Posez dessus les poissons, les légumes écrasés, le cube Maggi et arrosez le tout d'huile (1 cuillère à soupe). Fermez le faitout de façon à n'en laisser échapper aucune vapeur et laissez cuire 45 minutes. Vous servirez les deux sauces séparément, accompagnées de foutou-banane, de riz ou d'attiéké. Vous allez régaler vos amis, c'est moi qui vous le dit !

LA SAUCE GNANGNAN

COMMENT GUÉRIR LES MAUX DE TÊTE ET LES MOUSTIQUES QUI PRENNENT L'AVION

Appoline a des soucis. Son mari a de violents maux de tête. Les aspirines et autres médicaments n'y font rien du tout, et les radios et autres scanners n'ont rien décelé de grave. Tantie Affoué, spécialiste dans les maladies compliquées, lui conseille alors de lui préparer «la sauce gnangnan». Les gnangnans sont de petites baies très amères. Cette sauce est réputée magique, car elle aurait des vertus thérapeutiques selon les tradi-praticiens et surtout selon tantie Affoué. Sa saveur aigre douce soignerait les malades souffrant de maux de tête et de paludisme. Bon, si votre mari attrape le palu à Paris, c'est qu'il s'est baladé à Roissy et s'est fait piquer par un moustique dit d'aéroports, transporté dans la soute à bagages d'un avion en provenance d'un pays tropical. Sinon, en dehors de ces vertus médicinales, cette sauce est délicieuse, et son goût légèrement amer se marie agréablement avec du riz blanc, du foutou, de l'igname bouillie ou de l'attiéké.

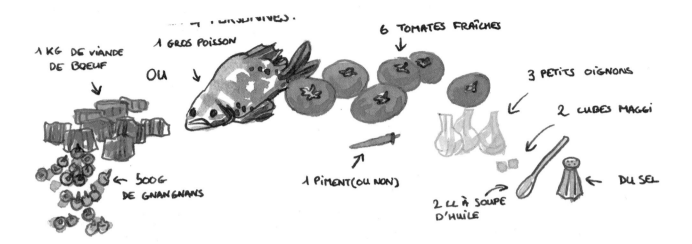

1 KG DE VIANDE DE BŒUF

OU

1 GROS POISSON

6 TOMATES FRAÎCHES

3 PETITS OIGNONS

2 CUBES MAGGI

DU SEL

500G DE GNANGNANS

1 PIMENT(OU NON)

2 LL À SOUPE D'HUILE

Pour 4 personnes | 1 kg de viande de bœuf ou 1 gros poisson, 500 g de gnangnan, 1 piment (facultatif), 6 tomates fraîches, 3 petits oignons, 2 cubes Maggi, 3 cuillères à soupe d'huile, sel

Équeutez les graines de gnangnan, lavez-les soigneusement et mettez-les à bouillir dans une casserole environ 20 minutes.

Pendant ce temps, découpez la viande ou le poisson puis, dans une grande casserole, faites revenir 5 minutes dans l'huile en y ajoutant un peu de sel. Recouvrez environ d'1 litre d'eau et laissez bouillir à feu vif pendant 15 minutes avant d'ajouter les tomates fraîches, les oignons coupés en deux et éventuellement, le piment. Laissez cuire 30 minutes.

Retirez le gnangnan du feu. Égouttez-le une bonne minute et écrasez-le dans un mortier ou un mixeur. Au bout de 30 minutes, retirez les tomates, les oignons et le piment. Écrasez les condiments (sauf le piment pour les moins courageux). Puis reversez la pâte de gnangnan et la pâte des condiments dans la casserole et mélangez bien le tout, puis laissez mijoter à feu doux pendant encore 15 minutes. Mettez-y les deux cubes Maggi, et laissez mijoter encore 10 minutes.

Votre sauce est prête.

LE SAKA-SAKA
OU COMMENT REBOOSTE LA LIBIDO DE VOTRE MOITIÉ

Conversation entendue dans un salon de coiffure «tendance» de la place... Oui, le saka-saka, qui signifie la sauce aux feuilles de patates, est un plat originaire du nord du pays. C'est un repas des jours de fêtes. Les feuilles de patates douces sont des tubercules qui non seulement ont une valeur énergétique très élevée, mais sont également très riches en vitamines et en amidon. Lorsqu'on sait que l'amidon est l'agent épaississant le plus couramment utilisé dans les produits alimentaires, on ne devrait plus s'en faire pour la moitié de Chantou. Oh ! sinon le saka-saka est aussi délicieux !

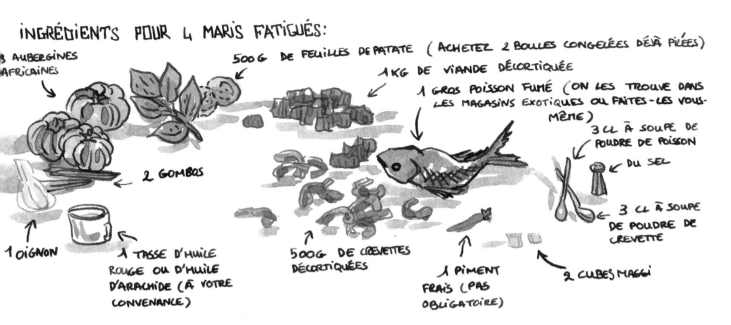

INGRÉDIENTS POUR 4 MARIS FATIGUÉS:

3 AUBERGINES AFRICAINES

500 G DE FEUILLES DE PATATE (ACHETEZ 2 BOULES CONGELÉES DÉJÀ PILÉES)

1 KG DE VIANDE DÉCORTIQUÉE

1 GROS POISSON FUMÉ (ON LES TROUVE DANS LES MAGASINS EXOTIQUES OU FAITES-LES VOUS-MÊME)

3 CL À SOUPE DE POUDRE DE POISSON

DU SEL

3 CL À SOUPE DE POUDRE DE CREVETTE

2 GOMBOS

1 OIGNON

1 TASSE D'HUILE ROUGE OU D'HUILE D'ARACHIDE (À VOTRE CONVENANCE)

500 G DE CREVETTES DÉCORTIQUÉES

1 PIMENT FRAIS (PAS OBLIGATOIRE)

2 CUBES MAGGI

Pour 4 maris fatigués | 500 g de feuilles de patates (achetez deux boules congelées, déjà pilées), 3 aubergines africaines, 2 gombos, 1 oignon, 1 tasse d'huile rouge ou d'huile d'arachide (à votre convenance), 1 kg de viande découpée, 1 gros poisson fumé (on les trouve dans les magasins exotiques ou faites-le vous-même), 500 g de crevettes décortiquées, 3 cuillères à soupe de poudre de crevettes, 2 cubes Maggi, 1 piment frais (pas obligatoire), sel

Pelez l'oignon et écrasez-le avec la tomate. Faites revenir la viande 5 minutes dans l'huile que vous aurez choisie. Découpez les aubergines en deux et les gombos. Retirez les arêtes du poisson. Ajoutez la poudre de crevettes et de poisson, puis les légumes écrasés et un litre d'eau. Laissez mijoter 15 minutes. Lavez les feuilles de patates et incorporez-les dans la sauce. Remuez bien pour épaissir la sauce. Ajoutez le poisson, les crevettes, les aubergines, les gombos. Laissez le tout mijoter pendant 20 à 30 minutes, en ne mettant les deux cubes Maggi que 10 minutes avant la fin de la cuisson. La sauce est prête lorsque vous obtenez une pâte qui a l'air d'une grillade et que l'huile utilisée au départ ressort sur les feuilles.

Servir avec du riz.

LE POULET YASSA

Lors d'un de mes voyages au Sénégal, je me suis régalée d'un délicieux poulet yassa, chez Fatima, mon amie sénégalaise. J'en ai profité pour lui demander sa recette.

STAR INTERNATIONALE

MA COPINE, JE T'AIME, TU LE SAIS BIEN, MAIS JE NE PENSE PAS QUE TU PUISSES AUSSI BIEN RÉUSSIR LE YASSA, MÊME AVEC MA RECETTE.

FATIMA, JE NE SUIS PAS AUSSI NULLE EN CUISINE, TU SAIS.

LE YASSA EST SÉNÉGALAIS, IL REPRÉSENTE NOTRE PAYS. JE VEUX BIEN ENCORE QU'ON LE CUISINE CHEZ NOS VOISINS AFRICAINS MAIS EN EUROPE? ÇA, LÀ, JE NE PEUX PAS LE SUPPORTER. ILS DOIVENT CUISINER ÇA N'IMPORTE COMMENT!

FATIMA, C'EST PLUTÔT VALORISANT QUE CE PLAT S'EXPORTE. IL EST À LA TÊTE D'AFFICHE DE TOUS LES GRANDS RESTAURANTS AFRICAINS DANS LE MONDE!

PFF! TOI AUSSI. C'EST POUR ÇA QU'IL DOIT ÊTRE MAUVAIS. LE YASSA, CE N'EST PAS QUE DU POULET, DE LA MOUTARDE ET DU CITRON. C'EST BEAUCOUP D'AMOUR, LE PLAISIR DE CUISINER, LA JOIE DE LE PARTAGER AVEC LA FAMILLE ET LES GENS QU'ON AIME. C'EST LE PLAISIR DE MANGER TOUS ENSEMBLE DANS LA MÊME ASSIETTE. ET SURTOUT, C'EST UNE MARINADE FAITE LA VEILLE. CAR C'EST LA MARINADE QUI FAIT LE POULET YASSA. DONC, MA COPINE, SACHE QUE "MÊME SI ON A FAIM, ON NE MET PAS LA MAIN DANS LA MARMITE DE SA BELLE-MÈRE. IL Y A DES CHOSES QU'ON NE FAIT PAS.

DÉSOLÉE.

Mes copines, vous avez compris que je ne peux pas vous donner la vraie recette du yassa, mais une qui ressemble à beaucoup d'autres, tout en suivant LE conseil de Fatima : cuisiner avec beaucoup d'amour et partager avec ceux qu'on aime ou pas (car c'est aussi ça l'hospitalité). Et si vous voulez être sûr de déguster un vrai yassa, allez donc au Sénégal !

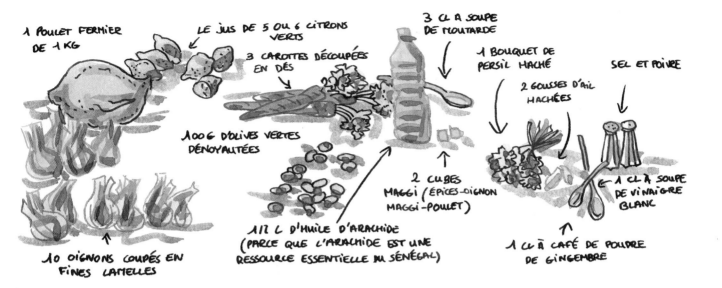

1 POULET FERMIER DE 1 KG

LE JUS DE 5 OU 6 CITRONS VERTS

3 CAROTTES DÉCOUPÉES EN DÉS

3 CL A SOUPE DE MOUTARDE

1 BOUQUET DE PERSIL HACHÉ

2 GOUSSES D'AIL HACHÉES

SEL ET POIVRE

100 G D'OLIVES VERTES DÉNOYAUTÉES

2 CUBES MAGGI (ÉPICES-OIGNON MAGGI-POULET)

1 CL A SOUPE DE VINAIGRE BLANC

1/2 L D'HUILE D'ARACHIDE (PARCE QUE L'ARACHIDE EST UNE RESSOURCE ESSENTIELLE AU SÉNÉGAL)

1 CL À CAFÉ DE POUDRE DE GINGEMBRE

10 OIGNONS COUPÉS EN FINES LAMELLES

Pour 4 personnes | 1 poulet fermier de 1 kg, 10 oignons coupés en fines lamelles, le jus de 5 ou 6 citrons verts, 3 carottes coupées en dés, 100 g d'olives vertes dénoyautées, ½ litre d'huile d'arachide (parce que l'arachide est une ressource essentielle du Sénégal), 2 cubes Maggi (1 épices-oignon, 1 poulet), 3 cuillères à soupe de moutarde, 1 bouquet de persil haché, 2 gousses d'ail hachées, 2 cuillères à soupe de vinaigre blanc, sel et poivre, 1 cuillère à café de gingembre en poudre

Dans un saladier, mélangez une grande cuillère à soupe de moutarde, une gousse d'ail haché, du persil haché, une cuillère à soupe de vinaigre, une cuillère à café de gingembre en poudre, du sel, du poivre, le cube Maggi épices-oignon, le jus d'un citron. Découpez le poulet et mettez les morceaux dans la marinade. Laissez reposer le tout au réfrigérateur une nuit entière ou au minimum trois heures. Au terme de ce délai, découpez les oignons en fines lamelles. Réservez. Sortir les morceaux de poulet de la marinade (réservez cette dernière) et faites-les revenir dans six cuillérées à soupe d'huile. Une fois qu'ils sont bien dorés, les mettre de côté et faites cuire à la place les oignons émincés en remuant régulièrement. Ils doivent changer de couleur. Rajoutez alors la moutarde, le reste de jus de citron, le vinaigre, l'ail, les carottes, le persil, les olives et le cube Maggi poulet. Salez, poivrez. Mélangez le tout et laissez mijoter. Après 20 minutes, ajoutez les morceaux de poulet et le jus de la marinade, et laissez cuire 25 minutes à feu doux. Goûtez et salez si besoin. Votre yassa est prêt ! Vous pouvez l'accompagner de riz, d'ignames bouillis ou d'attiéké…

Le yassa se décline aussi version carnée (bœuf, agneau), avec du poisson ou simplement avec des légumes.

LE RIZ GRAS "repas d'enfance"

Petite, le plat incontournable du repas de Noël, ce n'était pas le foie gras mais le riz gras. Alors que pour tous les enfants du quartier, les offices dominicaux étaient de véritables tortures, nous étions ravis de nous rendre à la messe de minuit du 24 décembre. On s'y rendait en famille, tout endimanchés. L'église, pleine à craquer, débordait de lumières, des sonneries joyeuses des cloches et carillons, et de chants magnifiques. Mais le meilleur restait à venir. De retour à la maison, la table était déjà dressée. On se précipitait sur le riz gras (que l'on trouvait spécialement meilleur que d'habitude), les petits pois macaronis à la sauce tomate, le poulet grillé et le Tip-Top (notre Champomy local). Puis c'était l'ouverture des cadeaux. Oui, le Père Noël préférait livrer en premier les pays chauds. Plus facile pour lui, il n'était pas obligé de passer par la cheminée : y'en avait pas ! Et de sapin non plus ! Il les déposait donc directement dans la cour de la maison. Bon, même si les plats sont différents, la magie de Noël reste la même. Et ça c'est le plus important. Joyeux repas !

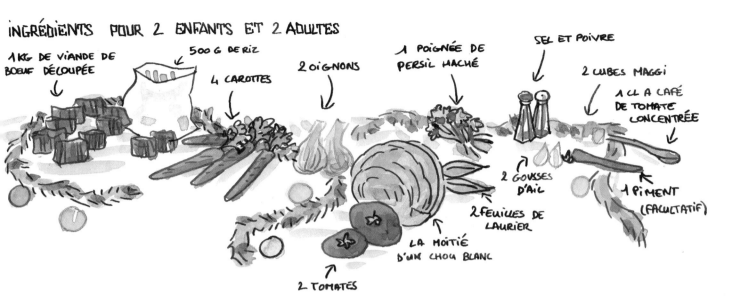

INGRÉDIENTS POUR 2 ENFANTS ET 2 ADULTES

1 KG DE VIANDE DE BŒUF DÉCOUPÉE

500 G DE RIZ

4 CAROTTES

2 OIGNONS

1 POIGNÉE DE PERSIL HACHÉ

SEL ET POIVRE

2 CUBES MAGGI

1 CL A CAFÉ DE TOMATE CONCENTRÉE

2 GOUSSES D'AIL

2 FEUILLES DE LAURIER

1 PIMENT (FACULTATIF)

LA MOITIÉ D'UN CHOU BLANC

2 TOMATES

Pour 2 enfants et 2 adultes | **1 kg de viande de bœuf en morceaux, 6 cuillères à soupe d'huile d'arachide ou d'olive, 500 g de riz grain long ou cassé, 4 carottes, 2 oignons, 2 tomates, 1 demi chou blanc, 2 feuilles de laurier, 2 gousses d'ail, 1 poignée de persil haché, 2 cubes Maggi, 1 piment (facultatif), 2 cuillères à café de concentré de tomate, sel et poivre**

Lavez le riz dans une passoire et laissez-le s'égoutter quelques minutes pour qu'il sèche bien. Versez l'huile dans une casserole avec un quart d'oignon découpé en dés. Ajoutez la viande, salez, poivrez. Laissez cuire 10 minutes puis rajoutez le concentré de tomate. Mélangez le tout. Mixez le reste des oignons, les tomates, les gousses d'ail, le persil, le piment (facultatif) et un cube Maggi. Réservez. Lorsque la viande est saisie et dorée, rajoutez les carottes découpées en rondelles et le chou coupé en quatre. Mélangez bien le tout pour que les légumes s'imprègnent du jus de viande. Laissez cuire 15 minutes. Puis rajoutez la mixture oignons-tomates. Laissez bouillir 10 minutes en remuant. Versez le riz. Remuez le tout vigoureusement à feu vif 1 minute. Puis couvrir d'eau à hauteur de 3 cm au dessus du riz. C'est le moment de rectifier le goût avec du poivre, du sel et le cube Maggi. Vous pouvez baisser le feu jusqu'à la reprise de l'ébullition et laisser le riz cuire normalement. Lorsqu'il n'y a plus d'eau, remuez et recouvrez la casserole de papier d'aluminium. Le riz finit de cuire à la vapeur. Lorsqu'il est tendre et les grains détachés, il est prêt à être dégusté.

LA SAUCE AUBERGINE

Appelée aussi sauce claire, la sauce aubergine est un des plats préférés de chez nous. Chacune la cuisine et l'apprécie à sa façon. Tito la préfère légère, fluide, car son estomac de jeune maman la digère mieux ainsi. Et puis la sauce claire est réputée nettoyer et soigner les ventres des récentes accouchées. Tantie Affoué la prépare très épaisse pour sa belle-mère. D'après elle, pour obtenir toutes les grâces dans son couple, il faut avoir un amour débordant pour sa belle-mère. Cela est valable pour les hommes comme pour les femmes mais, comme le précise tantie Affoué, plus encore pour les femmes car l'homme est toujours aimé par deux femmes, sa mère et son épouse. Tantie Affoué s'entend très bien avec sa belle-mère, si, si… car avant d'épouser son mari elle avait étudié et courtisé la mère, histoire de se mettre dans sa poche sa pire rivale !

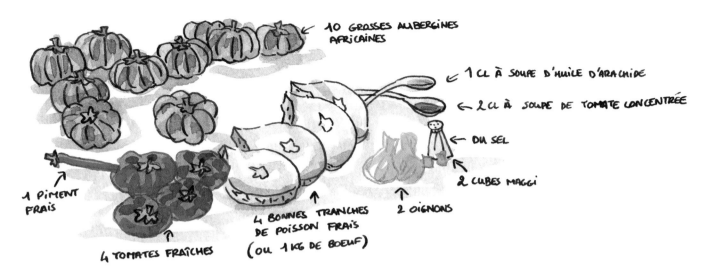

10 GROSSES AUBERGINES AFRICAINES

1 CL À SOUPE D'HUILE D'ARACHIDE

2 CL À SOUPE DE TOMATE CONCENTRÉE

DU SEL

2 CUBES MAGGI

2 OIGNONS

4 BONNES TRANCHES DE POISSON FRAIS (OU 1 KG DE BOEUF)

4 TOMATES FRAÎCHES

1 PIMENT FRAIS

Pour une jeune maman, son mari et ses beaux-parents | 10 grosses aubergines africaines, 1 piment frais (facultatif), 4 tomates fraîches, 4 bonnes tranches de poisson frais ou 1 kg de viande de bœuf, 2 oignons, 2 cubes Maggi, 1 cuillère à soupe d'huile d'arachide, 2 cuillères à soupe de concentré de tomate, sel

Écaillez et lavez les tranches de poisson. Équeutez, lavez et fendez les aubergines en deux. Émincez un oignon. Mettez à chauffer une casserole avec l'huile. Ajoutez-y les oignons, les tranches de poisson, une tomate coupée en dés et du sel. Couvrez le tout et laissez mijoter pendant 10 minutes. Ajoutez ensuite 2 litres d'eau, les aubergines, les 3 tomates restantes et l'oignon coupés en deux, le piment (facultatif), le concentré de tomate et un cube Maggi. Une fois les tranches de poisson cuites, retirez-les de la sauce pour qu'elles ne se décomposent pas et réservez-les (si vous faites cette recette avec de la viande, il n'est pas nécessaire de l'ôter de la sauce). Couvrez ensuite la casserole et laissez bouillir 20 minutes. Lorsque les condiments sont cuits, baissez le feu puis, à l'aide d'une passoire, retirez-les de la casserole et mixez-les. Réincorporez la mixture obtenue dans la casserole et ajoutez le deuxième cube Maggi. Remettez le poisson et rectifiez une dernière fois l'assaisonnement. Laissez mijoter encore 20 minutes, en prenant soin que le poisson ne s'émiette pas.

Servez votre sauce avec du foutou banane, du riz ou de l'attiéké. Et croisez les doigts pour que votre belle-mère apprécie !

LE CHOUKOUYA

Le choukouya, qui signifie «viande braisée», est originaire du Nigéria où il a une façon très particulière d'être cuisiné : la viande de bœuf est découpée en lamelles, emballée puis enfouie sous le sable chaud durant plusieurs semaines avant d'être déterrée et cuite à la braise. Il faut vouloir en manger, hein ? Et pourtant, aujourd'hui, dans tous les quartiers d'Abidjan, les vendeurs de choukouya ont un succès fou. Comment ce plat à la préparation si difficile a t-il pu conquérir le cœur des Ivoiriens ? Tout d'abord, sachez qu'il est super délicieux ! Et ensuite, je n'en sais trop rien. Mais je peux vous dire que chez nous, en Côte d'Ivoire, tout commence toujours par une «première fois» et les Ivoiriens ont la réputation de s'approprier assez vite les choses et surtout celles qui sont bonnes. Ils ont alors transformé «première fois» en acte de tous les jours.

Mais laissons la première fois des Ivoiriens avec ce mets et focalisons-nous sur celle de Sophie. Une jolie Française, fraîchement expatriée, pour qui sa rencontre avec le choukouya fut vraisemblablement mémorable.

La faute à Abass, un joli Ivoirien stylé et tendance, informaticien de son état, qui l'invita à diner chez lui. N'ayant pas le temps de cuisiner, le jeune homme acheta deux portions de viande chez son vendeur attitré de choukouya.

Un bon repas et une torride nuit d'amour suffiront à Sophie pour succomber aux charmes d'Abass. L'amoureuse, croyant que son chéri était l'auteur de ce mets délicieux, lui en réclamait souvent. Le bien-aimé n'osait pas la contredire, tant que son vendeur de choukouya lui en fournissait. Mais voici que par une nuit très claire, Sophie, en voiture avec Abass, remarqua en bordure de route de grands feux qui laissaient échapper une fumée odorante de viande. Ceux qui activaient ces flammes étaient des vendeurs de choukouya.

Sophie, avec mépris, fit comprendre à son amoureux que jamais de sa vie elle ne mangerait cette sale et dégoûtante viande, pleine de microbes et de poussière. Ce cher Abass ne s'aventura pas à avouer à sa belle que son meilleur vendeur de choukouya faisait partie du groupe. Il sait qu'on ne réveille pas le chien qui dort. Il décida plutôt, pour ne pas perdre sa dulcinée, d'apprendre la recette du choukouya auprès de son vendeur attitré.

Voici donc la recette du choukouya au poulet façon Abass (ce plat fonctionne très bien aussi avec toutes les autres viandes).

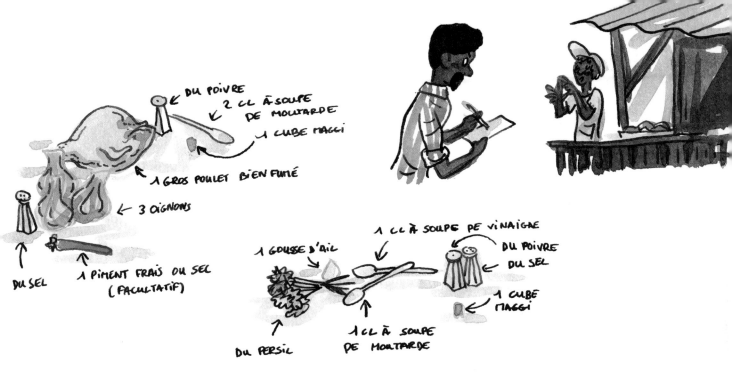

Pour 4 personnes | 1 gros poulet, 3 oignons, du piment frais ou sec (facultatif), 1 cube Maggi, 2 cuillères à soupe de moutarde, sel et poivre | **La marinade :** 1 cuillère à soupe de moutarde, 1 gousse d'ail, persil, 1 cuillère à soupe de vinaigre de votre choix, 1 cube Maggi, sel et poivre

Mixez ensemble tous les ingrédients de la marinade. Découpez le poulet en deux dans le sens de la longueur. Badigeonnez-le de la marinade et laissez reposer 30 minutes. Puis faites-le cuire sur une grille (le mieux au barbecue, ou au four) pendant 1 heure. Découpez-le en morceaux. Mélangez la moutarde, le cube Maggi, le sel et le poivre, afin d'obtenir une sauce.
Découpez les oignons en fines lamelles (et éventuellement le piment). Dans une grande feuille d'aluminium, disposez les morceaux de poulet, les oignons, le piment et la sauce. Refermez bien le tout et remettez à cuire sur le barbecue ou dans le four 30 à 45 minutes. Surveillez la cuisson des oignons et du piment en mélangeant de temps en temps. Servez votre choukouya avec de l'attiéké, du riz, de l'alloco, des légumes, de l'igname ou des pommes de terre frites...

On peut également préparer du choukouya de poisson sur le même principe, en laissant simplement le poisson entier et en rajoutant de la tomate fraîche découpée en lamelles 10 minutes avant la fin de la cuisson.

LE RAGOÛT D'IGNAME

" PLAT DE TRADITION "

Adjoua, en pleurs, accourt chez tantie Affoué, sa fille dans les bras...
Pauvre Adjoua! Encore une déracinée. Elle aurait dû en effet savoir que l'igname
est un tubercule salvateur pour le peuple Akan, groupe ethnique dont elle fait partie. Et logiquement, avant
la cérémonie officielle célébrée par les chefs coutumiers, la nouvelle récolte d'igname ne peut être vendue
sur les marchés, ni être consommée. Cette réjouissance est fêtée chaque année pour marquer la fin de l'année
et le début de l'année nouvelle. C'est aussi l'occasion pour les vivants de rendre grâce aux ancêtres et aux
esprits pour leur assistance. Certains disent que si la tradition n'est pas respectée, on peut en payer les frais.
Bon, cette coutume ne vous concerne pas, sauf si vous faites partie du peuple Akan.

TANTIE AFFOUÉ, AMOÏN NE VA PAS BIEN !

IL S'EST PASSÉ QUOI, ADJOUA ?

JE NE SAIS PAS. ELLE ALLAIT BIEN. ELLE A MANGÉ SON PLAT PRÉFÉRÉ ET TRENTE MINUTES APRÈS, ELLE S'EST SENTIE MAL !

BON, ON VA L'EMMENER À L'HÔPITAL. TRANQUILISE-TOI ! ELLE A MANGÉ QUOI ?

DU RÂGOUT D'IGNAME, C'EST TOUT ... JE ...

DE L'IGNAME ! MAIS ÇA NE VA PAS, NON ?

MAIS TANTIE, JE L'AI CUISINÉ AUJOURD'HUI MÊME !

MALHEUREUSE IMPRUDENTE ! TU NE SAIS PAS QU'IL FAUT ATTENDRE LA CÉRÉMONIE OFFICIELLE DE LA NOUVELLE IGNAME AVANT D'EN MANGER. QUAND ON NE SAIS PAS OÙ L'ON VA, QUE L'ON SACHE D'OÙ L'ON VIENT. ADJOUA, ON DOIT CONNAÎTRE SES ORIGINES, SES TRADITIONS. PAS LA PEINE D'ALLER À L'HÔPITAL. AMOÏN IRA MIEUX. SUIS-MOI !

Mais en même temps, si vous trouvez l'igname
dans les boutiques exotiques de France, c'est
que le légume a pris l'avion ou le bateau. Donc,
pas d'inquiétude, y a prescription ! Vous pouvez
déguster votre ragoût en toute quiétude !

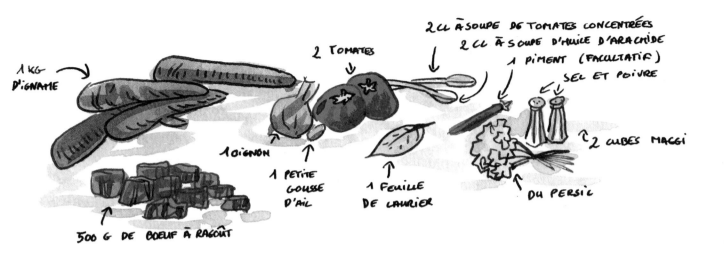

1 KG D'IGNAME

2 TOMATES

2 CL À SOUPE DE TOMATES CONCENTRÉES
2 CL À SOUPE D'HUILE D'ARACHIDE
1 PIMENT (FACULTATIF)
SEL ET POIVRE

2 CUBES MAGGI

1 OIGNON

1 PETITE GOUSSE D'AIL

1 FEUILLE DE LAURIER

DU PERSIL

500 G DE BOEUF À RAGOÛT

Pour 4 personnes | 1 kg d'ignames, 500 g de bœuf à ragoût coupé en morceaux, 1 oignon, 1 petite gousse d'ail, 2 tomates, 1 cuillère à soupe de concentré de tomate, 2 cuillères à soupe d'huile d'arachide, 1 feuille de laurier, 1 piment (facultatif), 2 cubes Maggi, persil, sel et poivre

Épluchez les ignames et coupez-les en gros dés. Versez l'huile dans une casserole, et faites y revenir la viande avec la moitié de l'oignon émincé et le concentré de tomate. Salez. Laissez dorer le tout environ 20 minutes. Pendant ce temps, écrasez l'autre moitié d'oignon, les tomates, la gousse d'ail, le persil, un cube Maggi. Rajoutez cette préparation au contenu de la casserole avec le laurier. 10 minutes après, rajoutez les morceaux d'ignames. Rectifiez l'assaisonnement (sel et si besoin un second cube Maggi) et laissez cuire 30 minutes à feu vif. Terminer la cuisson à feu doux. Votre ragoût est prêt lorsque vous pouvez enfoncer en douceur un couteau dans les tubercules.

Bonne fête de l'igname !

Un poisson braisé sans sa semoule d'attiéké, une sauce graine sans sa boule de foutou-banane, un kédjénou de poulet sans son bol de riz blanc ! Rien que d'y penser, j'en ai la chair de poule…

Car sans nos riches et nombreux accompagnements, nos sauces, grillades et ragoûts seraient bien tristes. C'est un usage qui est indéracinable. Cette habitude est devenue une seconde nature qui nous est chère.

LES
ACCOMPAGNEMENTS

L'IGNAME

L'igname est un tubercule. Elle se consomme comme la pomme de terre (bouillie, frite, en purée…). Elle fait partie de nos aliments de base, d'où son surnom d'« aliment de grande consommation ». On la fête dans l'est du pays lors de manifestations culturelles importantes à ne manquer pour rien au monde. 125 g de ce tubercule apportent à l'organisme 25 % de ses besoins quotidiens en vitamine C. L'igname accompagne très bien toutes les grillades et sauces. Elle est le symbole de la survie du peuple Akan pendant l'exode depuis l'actuel Ghana.

Cette racine a même sa fête : une sorte de nouvel an. Vous pourrez trouver l'igname dans certains hypermarchés au rayon produits exotiques, mais principalement dans les magasins spécialisés en produits afro-caribéens (africains, chinois, antillais).

Ignames à la poêle | On retrouve les mêmes ingrédients que précédemment avec 5 cuillères à soupe d'huile d'olive en plus.

Faites bouillir les ignames 5 minutes puis égouttez-les. Chauffez l'huile dans une poêle et versez-y les cubes d'ignames. Faites-les dorer en les remuant régulièrement. Salez, poivrez, et dégustez aussitôt.

Ignames bouillies pour 4 personnes | 1 kg d'igname, 2 litres d'eau, sel et poivre

Épluchez l'igname et détaillez-la en cubes de 4 cm de côté que vous plongerez dans de l'eau bouillante salée. Laissez bouillir 30 minutes. Pour savoir si les ignames sont cuites, piquez un morceau à l'aide d'un couteau. Les égoutter soigneusement.

Purée d'ignames

Lorsque les cubes d'ignames sont cuits, les égoutter puis les écraser. Ajoutez de l'huile d'olive et du beurre.

FRITES D'IGNAME

Les frites d'ignames se dégustent généralement entre amis, à l'apéritif, avec une bonne sauce tomate, piquante ou non. Les enfants les apprécient aussi au goûter et les achètent, la plupart du temps, sur le chemin de l'école aux vendeuses installées sur les trottoirs.

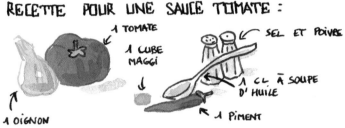

RECETTE POUR UNE SAUCE TOMATE :

1 TOMATE
1 CUBE MAGGI
1 OIGNON
SEL ET POIVRE
1 CL À SOUPE D'HUILE
1 PIMENT

← DU SEL

1 KG D'IGNAME

HUILE DE FRITURE (L'HUILE DE PALME DONNE UN MEILLEUR GOÛT)

Pour 4 personnes | 1 kg d'ignames , huile de friture, sel

Pelez les ignames puis coupez-les en bâtonnets comme des frites traditionnelles. Séchez-les avec un torchon propre ou du Sopalin pour en évacuer l'humidité. Faites chauffer l'huile dans une poêle et faites-y frire les bâtonnets. Lorsqu'ils sont dorés, sortez-les et égouttez-les. Servez chaud avec une petite sauce tomate.

La sauce tomate : 1 oignon, 1 tomate, 1 cube Maggi, 1 piment (facultatif), 1 cuillère à soupe d'huile, sel et poivre

Coupez en morceaux la tomate et l'oignon. Faites revenir le tout dans une poêle avec l'huile. Salez, poivrez, et laissez cuire 20 minutes en remuant de temps en temps. Ajoutez le cube Maggi et laissez mijoter encore 10 minutes.

LE RIZ

Vous connaissez tous le riz ? Alors je vous passe l'histoire de son origine, celle de ses cultures, ses 120 variétés, son expansion, les systèmes sociaux nés de sa culture… Mais je peux vous dire qu'en Côte d'Ivoire, on pense riz, on vit riz, on respire riz. Je suis entièrement faite de riz. Pourquoi ? Il est l'aliment de base le plus consommé chez les Ivoiriens et dans toute l'Afrique. C'est aussi la première céréale mondiale destinée à la consommation. Respect ! Mais surtout, cuit, il est délicieux, si on ne le rate pas ! Alors mes copines, pour arrêter de cuire le riz comme des pâtes, voici les bases pour réussir parfaitement sa cuisson.

Pour 4 personnes | **Choisissez le riz parfumé chinois (long ou cassé une ou deux fois), 450 g du riz de votre choix, 3 cuillères à soupe d'huile végétale ou d'olive, 1 cube Maggi (ou pas), ½ cuillère à café de sel**

Rincez le riz trois fois et égouttez-le. Mettez-le dans une casserole. Ajoutez de l'eau. Celle-ci doit recouvrir le riz de 3 cm (très important). Rajoutez le sel, l'huile et le cube Maggi. Remuer le tout. Couvrir et laisser cuire 10 minutes en remuant de temps en temps pour éviter que le riz ne colle à la casserole. Lorsqu'il ne reste pratiquement plus d'eau, baissez le feu et astuce, couvrez la casserole de papier aluminium. Laissez cuire ainsi encore pendant 10 minutes. Votre riz va cuire à la vapeur (d'où l'importance de ne pas mettre beaucoup d'eau au début de la cuisson).
Le riz accompagne tous les plats. Il mériterait un livre de recettes à lui tout seul tant il existe de façons de le cuisiner : avec des légumes, du lait de coco, de la viande, des épices…

En bonne et grande mangeuse de riz, je vous souhaite bon courage !
C'est à vous !

LE RIZ À L'OIGNON

Voici une autre façon de cuire le riz. Cette recette est très souvent utilisée dans les foyers.

3 CL À SOUPE D'HUILE DE TOURNESOL OU D'OLIVE

½CL À CAFÉ DE SEL

← DE L'EAU

450 G DE RIZ LONG, CASSÉ 1 OU 2 FOIS, C'EST SELON VOTRE GOÛT

LA MOITIÉ D'UN OIGNON COUPÉ EN DÉS

1 CUBE MAGGI OU PAS

Pour 4 personnes | 450 g de riz long, cassé une ou deux fois selon votre goût, 3 cuillères à soupe d'huile de tournesol ou d'olive, 1 cube Maggi (facultatif), la moitié d'un oignon coupé en dés, ½ cuillère à café de sel

Je vous conseille de rincer le riz trois fois et de l'égoutter. Faites chauffer l'huile dans une casserole et faites-y revenir les oignons. Ajoutez le sel et le cube Maggi. Lorsque les oignons sont dorés, versez le riz. Faites revenir le mélange 5 minutes puis recouvrir d'eau (3 cm au-dessus du riz). Couvrez la casserole et laissez cuire 10 minutes en remuant de temps en temps pour ne pas que ça colle. Lorsque l'eau s'est quasiment évaporée, baissez le feu et couvrez la casserole de papier aluminium, laissez cuire ainsi encore 10 minutes.
Régalez-vous en accompagnant cette recette de tout ce que vous voulez.

LA PATATE DOUCE

La patate douce est un tubercule très consommé en Afrique. Sa forme est plus ou moins allongée voire arrondie. Selon les variétés (plus de 400), la peau et la chair de la patate douce sont particulièrement riches en vitamine A et B6, en cuivre et en manganèse. Les Ivoiriens préfèrent la variété à peau rouge et à chair blanche. C'est la meilleure. Elle accompagne les viandes et les poissons sous forme de gratin, de purée, soufflés, potages, frites, où elle remplace facilement la pomme de terre. Pourtant, son utilisation est plus variée que cette dernière, puisque la patate douce peut aussi servir à la préparation de desserts : entremets, puddings, biscuits, glaces, crêpes, gâteaux, marmelades…

Patates douces bouillies pour 4 personnes | 1 kg de patates douces (choisissez la variété à peau rouge et chair blanche), 2 litres d'eau, sel

Même procédé que pour l'igname (voir recette page 86).

Purée de patates douces

Lorsque les cubes de patates sont cuits, les égoutter puis les écraser. Ajouter de l'huile d'olive ou du beurre. Cette purée accompagne très bien les grillades.

Patates douces à la poêle

Faites revenir les cubes de patates bouillies dans 5 cuillères à café d'huile d'olive ou dans un peu de beurre. Faites-les dorer en remuant délicatement et régulièrement.

DU SEL

1 KG DE PATATES DOUCES (CHOISISSEZ CELLES À LA PEAU ROUGE ET À L'INTÉRIEUR BLANC)

2 L D'EAU

Frites de patates douces

Faites frire les tranches de patates dans de l'huile végétale. Égouttez-les et servez chaud.

LA BANANE PLANTAIN

Fruit du bananier, la banane plantain s'apparente à la banane douce. On la surnomme « banane à cuire » et « banane à farine ». C'est un aliment de base dans plusieurs régions d'Afrique. L'homme a transformé ce fruit en légume. De l'extérieur, on pourrait le prendre pour une grosse banane (fruit). Mais sa chair est bien plus dense, et malheur à qui croquera dans une banane plantain crue car elle est parfaitement indigeste ! Elle entre dans la composition de nombreux plats traditionnels et populaires.

On la consomme de plusieurs manières :
– bouillie : en purée, plat de base quotidien, accompagnée d'une sauce, de légumes, ou de viande selon les moyens de chacun ;
– frite : en tranches frites dans l'huile de palme ou végétale. C'est le célèbre « alloco » ;
– à la vapeur : on peut servir la banane avec un peu de sel pour accompagner une viande ou un poisson. On peut aussi la passer à la poêle avec du beurre.
Le plantain peut aussi se cuisiner comme fruit. En plus, il est plein de bonnes choses pour la santé ! À votre imagination !

LE FOUFOU ou KOKOTCHA

KOKO = BANANE PLANTAIN

TCHA = ÉCRASER

Le foufou est un plat à base de bananes plantain bien mûres. Il est très apprécié dans le sud-est du pays, notamment chez les Ébriés qui le nomment « kokotcha » (banane écrasée). C'est un repas traditionnel de fête, de réjouissance. Les femmes le préparent dès le matin, le pilant dans la bonne humeur et la convivialité. Le foufou se présente sous la forme d'une boule molle à la surface légèrement granuleuse. Il accompagne volontiers toutes les sauces et se digère très facilement !

15 CL D'HUILE DE PALME ROUGE (PRÉALABLEMENT CHAUFFÉE)

8 BANANES PLANTAINS JAUNES (MÛRES MAIS ENCORE FERMES)

SEL (À TA CONVENANCE)

Pour 4 personnes | 8 bananes plantain jaunes (mûres mais encore fermes), 15 cuillères à soupe d'huile de palme rouge (préalablement chauffée), sel

Pelez et faites bouillir les bananes dans une casserole. Quand elles sont cuites, les pilez une à une à l'aide d'un pilon et d'un mortier.

Procédé plus simple qui évite de se fâcher avec ses voisins : piler les bananes cuites au robot ou au presse-purée tout en versant l'huile tiède sur le mélange afin d'obtenir une pâte. Saler et former des petites boules. Servir avec une sauce claire.

LE FOUTOU BANANE

Le foutou-banane est un plat à base de bananes plantain mûres et de manioc.
Un plat traditionnel et inconditionnel du pays. Il se présente sous la forme
de boules molles. Tout comme son collègue le foufou, il se cuisine le matin,
moment durant lequel les femmes se retrouvent pour le piler toutes ensemble.
Et en même temps que les pilons, les langues vont bon train !
Le foutou est servi avec des plats en sauce.

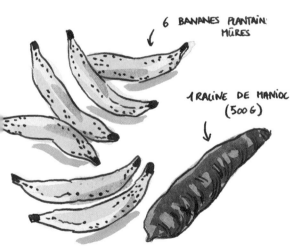

6 BANANES PLANTAIN
MÛRES

1 RACINE DE MANIOC
(500 G)

Pour 4 personnes | 6 bananes plantain mûres, 1 racine de manioc (500 g)

Épluchez le manioc et les bananes. Fendez les bananes en deux
et ôtez-en le cœur. Faites de même pour le manioc. Lavez-le et faites-le
bouillir dans un litre d'eau pendant 40 minutes. Égouttez et laissez refroidir.
Pilez ensuite séparément au mortier ou au robot les bananes et le manioc.
Veillez à obtenir une pâte sans grumeaux. Mélangez et pilez à nouveau.
Faites des boules et servez dans un plat.

LE MANIOC

Le manioc est un tubercule au centre de l'alimentation de nombreuses familles à travers l'Afrique.
Il est également cultivé dans toutes les régions chaudes du monde.
Il fait partie de l'alimentation de base d'un demi-milliard d'êtres humains.
Pas mal, non !

Le manioc est consommé de différentes façons selon le pays et porte plusieurs noms. En Côte d'Ivoire, il est cuit à l'eau puis servi comme légume, en accompagnement. Il est transformé en une sorte de délicieux couscous à la texture plus légère.
C'est notre fameux attiéké !

Tout est bon dans le manioc et il fait des merveilles pour la ligne !
Il est en effet riche en glucides, vitamines et minéraux, mais pauvre en protéines et lipides. Il reste cependant très digeste. Ses feuilles, contenant 7 % de leur poids (frais) en protéines, sont aussi cuisinées.

Comment cuire le manioc ?
Coupez d'un coup sec les deux extrémités du tubercule. Taillez ensuite le manioc en tronçons réguliers, les pelez. Divisez chaque tronçon en deux dans le sens de la longueur. Ôtez ensuite la petite nervure centrale. Selon le diamètre des tronçons, partagez-les encore en deux. Brassez-les dans une bassine contenant de l'eau froide. Renouvelez l'opération afin de débarrasser les tronçons de toutes les impuretés. Faites-les cuire dans une grande casserole d'eau salée. Les égoutter et servir en accompagnement.

Le manioc se déguste aussi en frites, purée, beignets, galettes…

ASTUCE
Afin d'obtenir de tendres tronçons de manioc, il faut vérifier la cuisson à l'aide d'une lame de couteau.

L'ATTIÉKÉ

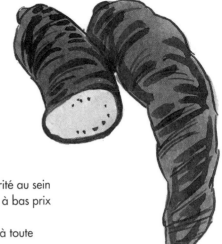

L'attiéké est la semoule de manioc cuite à la vapeur. C'est une spécialité de la basse côte ivoirienne. On la surnomme « le couscous de manioc ». La farine de manioc est lavée, pressée, séchée et cuite.

L'attiéké est un plat que l'on retrouve dans tous les grands rendez-vous festifs. Il accompagne les grillades (poisson, poulet, viande rouge), mais aussi les sauces.

Il est cultivé en grande majorité au sein du pays, et il est ainsi vendu à bas prix à tous les coins de rue.
Il sert de nourriture de base à toute une partie de la population.

Où trouver de l'attiéké ?

Dans les épiceries afro-asiatiques, sous forme de boule. Il suffit de le faire chauffer au micro-onde (1 minute) et de séparer les grains.
On le trouve aussi en paquets, déshydraté.

Conseil d'une femme qui vous veut du bien : l'attiéké peut remplacer certains somnifères et anti-dépresseurs. Il a la réputation d'endormir naturellement avec moins de risques de dépendance que ces médicaments…

BONUS MINCEUR

L'attiéké se compose à plus de 95 % de glucides et est très pauvre en lipides (environ 2 %), ainsi qu'en protides (moins de 2 %). De plus, il a une très faible valeur calorique : environ 350 calories pour 100 g.

Nous savons tous que le dessert est
le plat qui clôt un repas. Et si vous faites
attention, que ce soit lors de dîners entre
amis ou au restaurant, nous n'osons pas
trop manger notre plat
de résistance de peur de ne plus avoir
de place pour la gourmandise de fin...
Car habituellement, le dessert sert à
terminer le repas en beauté (même si
je pense que c'est plutôt pour se consoler
de ne pas avoir bien mangé).
En Côte d'Ivoire, à la question « un petit
dessert ? » nous répondons avec
franchise un « non merci, je suis calé ».
Comprenez, « je suis rassasié ».
Oui, nous terminons généralement notre
repas sur une bonne note : le calage.
Notre cuisine ne comporte pratiquement
pas de douceur finale. Donc, pas
de frustration, et les desserts, nous
les prenons à n'importe quelle heure
de la journée.

Les plus courageux s'attaqueront
aux fruits : une mangue, de la papaye,
de l'ananas, mais plus pour nettoyer
la bouche, laver le ventre qu'autre chose.
À quoi servent alors les recettes qui vont
suivre ?
À les proposer au goûter peut-être...,
mais je vous laisse simplement les
essayer, et je suis convaincue que vous
trouverez très vite leur utilité.

LES DESSERTS

ou les rince-bouches

LES BEIGNETS ou BOFLOTOS

Les « boflotos » sont des beignets à base de farine de blé. Mais c'est plus que ça !!!
Ces délicieux beignets ont bercé et bercent encore l'enfance de chaque Ivoirien.
Ils font même partie de notre ADN. Du petit-déjeuner au goûter,
en passant par le petit encas de 11 heures, le coupe-fin d'avant le dîner…
Il n'y a pas d'heure pour les déguster. Et heureusement que les vendeuses de rue
en confectionnent toute la journée !!! Car en plus d'être délicieux, ces douceurs
sont faciles à préparer, peuvent se faire en grande quantité et conviennent
parfaitement aux kermesses de fin d'année scolaire, goûters d'anniversaire,
et tournois sportifs de nos chers enfants.

POUR 4 PERSONNES :

1/2 KG DE SUCRE

1/2 LITRE D'HUILE

2 SACHETS DE SUCRE VANILLÉ

1/2 KG DE FARINE

1 CL À CAFÉ DE LEVURE EN GRANULES

1/2 CITRON

Pour 4 personnes | ½ kg de farine de blé, ½ kg de sucre, ½ citron, ½ litre d'huile, 1 cuillère à café de levure en granulées, 2 sachets de sucre vanille

Mettez la levure dans un bol d'eau tiède avec une ½ cuillérée à café de sucre, une pincée de sel et le sucre vanille.
Remuez, couvrez et laissez reposer 15 minutes.
Dans un saladier, faites un puits avec la farine et versez-y la préparation tout en travaillant la pâte vigoureusement. Ajoutez un peu d'eau si nécessaire afin que la pâte soit légère, couvrez d'un torchon propre et laissez reposer 3 heures. Lorsque la pâte a bien monté, faites les beignets aux formes que vous voulez. Mettez-les à frire pendant 5 minutes chacun dans de l'huile très chaude. Juste avant de les servir, faites fondre le sucre à feu doux avec un demi-citron dans une poêle et versez-le sur les beignets.
Hum !!! un vrai délice !!!

CROISSANT LUNAIRE AU COCO

COMMENT CONVAINCRE SA MOITIÉ AU CHÔMAGE DE SE RECONVERTIR

C'est en se plaignant à son groupe de parole du chômage très prolongé de son mari, un dimanche ensoleillé, que Flora a découvert les bienfaits de la noix de coco sur sa future vie conjugale.
En effet, un frère de parole lui a appris ce jour-là qu'il occupait un bon poste dans une société de la place lorsqu'il fut brutalement mis en congé technique. Il s'est depuis reconverti en vendeur de noix de coco. Flora remarque alors ses beaux habits, ses chaussures neuves, son teint ciré et surtout le beau pagne que portait son épouse et elle ne peut s'empêcher de leur poser cette question embarrassante :

ÇA RAPPORTE BIEN, LA VENTE DES NOIX DE COCO ?

BIEN SÛR, MA SOEUR. J'EN VENDS ENVIRON 500 PAR SEMAINE À 125 FS LA NOIX, SANS COMPTER TOUTES LES RECETTES À BASE DE NOIX DE COCO QUE CUISINE MA FEMME, COMME LES DÉLICIEUX "CROISSANTS LUNAIRES AU COCO", "BOULES COCO", "COCO TAILLE" QUI S'ARRACHENT COMME DES PETITS PAINS. JE GAGNE PLUS DE 300000 FR/M

MAIS C'EST LE SALAIRE D'UN CADRE! IL FAUT QUE MARCEL DEVIENNE VENDEUR DE NOIX DE COCO AU LIEU DE GROSSIR EN SE VAUTRANT DEVANT LA TÉLÉ TOUTE LA JOURNÉE. MAIS COMMENT LE CONVAINCRE? IL VA DIRE QUE C'EST SE RABAISSER.

MA SOEUR, DIS-LUI QU'IL Y A DE NOMBREUX HOMMES ET FEMMES QUI VIVENT GRÂCE À LA NOIX DE COCO. ON NOUS TROUVE UN PEU PARTOUT DANS LES RUES, ÉTANCHANT LA SOIF DE CERTAINS, CALANT LES PETITES FAIMS DES AUTRES. NOTRE PAYS EST LE SEUL EN AFRIQUE À DISPOSER DE VASTES PLANTATIONS DE COCOTIERS, ALORS POURQUOI NE PAS EN PROFITER ?

100 G DE SUCRE

200 G DE FARINE

1/4 L D'HUILE

1 NOIX DE COCO OU 500 G DE COCO RÂPÉE

3 OEUFS

1 CL À SOUPE DE LEVURE EN POUDRE

Pour 4 personnes | 1 noix de coco ou 500 g de coco râpé, 100 g de sucre, 3 œufs, 200 g de farine, 1 cuillère à café de levure en poudre, ¼ de litre d'huile

Pour éviter tous les soucis liés à l'ouverture et à la râpe d'une noix de coco, je vous conseille d'acheter de la coco déjà râpée. Sinon, pour les plus courageux, râpez la pulpe de la noix de coco, étalez-la et séchez-la légèrement avec un linge.
Tournez ensemble le sucre et les œufs pendant 10 minutes. Ajoutez la pulpe de coco (ou la coco râpée) assez sèche et la farine mêlée à la levure. Tournez jusqu'à obtenir un mélange homogène. Posez la pâte sur la table pour la découper en losanges puis faites frire les croissants dans l'huile pendant 10 minutes jusqu'à obtention d'une couleur dorée.

Bonne dégustation !

LE DÊGUÊ

Le dêguê est un dessert à base de semoule de mil bouillie et de lait caillé.
D'origine malienne, il s'est répandu dans toute l'Afrique de l'Ouest.
Chaque pays le prépare à sa façon pour un résultat toujours délicieux.
Onctueux et frais, le dêguê est idéal par temps chaud et terminera
en douceur vos fins de repas. Vous pouvez trouver la semoule de mil
en petits grains dans les épiceries africaines.

1 KG
DE SUCRE BLANC

40 G DE BEURRE

1 KG DE FARINE
DE MIL

500G DE
FARINE DE RIZ

1 NOIX DE
MUSCADE

2 SACHETS
DE SUCRE
VANILLÉ

1 L DE LAIT
CAILLÉ

10 G DE RAISINS SECS
(OU PAS)

Pour 4 personnes | 1 litre de lait caillé, 1 kg de farine de mil, 500 g de farine de riz, 1 noix de muscade, 40 g de beurre, 1 kg de sucre blanc, 2 sachets de sucre vanillé, 10 g de raisins secs (facultatif)

Versez la farine de mil et la farine de riz dans une calebasse* ou un saladier. Ajoutez un peu d'eau et remuez à la main afin d'obtenir de tout petits grains uniformes que vous ferez cuire à la vapeur dans un couscoussier.
Après une première cuisson, retirez les graines et imbibez-les d'eau (juste un peu) avant de les remettre dans le couscoussier : lorsque les graines seront bien dures, ajoutez-y du beurre et la noix de muscade râpée.
Dans le lait caillé, mettez du sucre vanillé, du sucre blanc, éventuellement des raisins secs et les graines de dêgué.

Mettez votre dessert au réfrigérateur pendant au moins deux heures avant de servir.

* La calebasse est un beau récipient pratique et utile dans le quotidien des Africaines. Elle sert à transporter l'eau, le lait, à conserver le mil, le riz et sert aussi de décoration d'intérieur.

KLÉKLÉS ou BIJOUX À CROQUER

COMMENT OCCUPER VOTRE FILLE ET SES COPINES TOUTE UNE APRÈS-MIDI DE PLUIE

Les deux filles d'Apolline s'ennuient. Pourtant, elle avait tout prévu pour occuper leur après-midi : chacune invitait une copine. Les filles seraient contentes et elle en profiterait pour se détendre. Mais voilà, maintenant, c'est quatre filles qui s'ennuient. Apolline a le choix entre les envoyer paître ou leur trouver une occupation. Mais pour des parents, occuper son enfant n'est-ce pas avant tout penser à une occupation qui participera à son développement et à son épanouissement intellectuel ou physique ? Sauf que voilà, Apolline n'a pas envie, pour une fois, de faire l'école à la maison et est même toute disposée à les envoyer balader.

OH LÀ, NON NON, MALHEUREUSE! NE FAIS PAS CELA. PARCE QU'EN BONNE MÈRE QUI SE RESPECTE, TU CULPABILISERAS LE RESTE DE LA JOURNÉE. ALORS QU'IL SUFFIT DE RENDRE CETTE OCCUPATION AGRÉABLE ET PLEINE DE PLAISIR, SURTOUT POUR TOI.

POUR CELA, JE TE CONSEILLE DE FAIRE AVEC ELLES LA RECETTE DES "KLÉKLÉS" OU "BIJOUX À CROQUER". DES GÂTEAUX EN FORME DE BIJOUX QUE LES FILLES ET TOI PORTERONT TOUT EN ÉTANT DÉGUISÉES EN PRINCESSES. CAR MA CHÈRE COPINE AVANT DE DEVENIR MAMAN, TU ÉTAIS UNE PETITE FILLE QUI CROYAIT AUX PRINCESSES. AMUSEZ-VOUS BIEN!

POUR 3 PRINCESSES ET UNE REINE

100 G DE FARINE

3 CL À SOUPE DE SUCRE

1 PINCÉE DE SEL

1/2 SACHET DE LEVURE CHIMIQUE

DE L'HUILE DE TOURNESOL

10 CENTILITRES D'EAU

Pour 3 princesses et une reine | 100 g de jaune, ½ sachet de levure chimique, 3 cuillères à soupe de sucre, 10 cl d'eau, de l'huile de tournesol

Faites tiédir l'eau. Ajoutez-y le sucre et le sel. Dans un saladier, mélangez bien la farine et la levure. Versez l'eau sur cette préparation.
Puis, avec les mains, mélangez le tout de manière à obtenir une boule de pâte que vous transformerez en colliers, bagues, bracelets, boucles d'oreilles, diadèmes, etc.
Faites frire les kléklés dans l'huile quelques minutes. Voilà, vous pouvez vous parer de vos beaux bijoux (attention quand même à ne pas vous brûler !) sans oublier bien sûr de les croquer de temps en temps, tellement c'est bon !

GÂTEAUX AU JUS D'ANANAS

C'est en remontant en voiture le sud côtier avec sa cousine Maïe qu'Aïcha a vu, sur des hectares, s'étendre les fameuses plantations d'ananas de son cher pays, la Côte d'Ivoire. Ce jour-là, en dehors de tout nationalisme, elle s'est simplement sentie Ivoirienne, elle qui vit à Paris depuis quelque temps. Son pays est l'un des premiers producteurs et exportateurs d'ananas, ce n'est pas rien tout de même. Mais on ne pouvait pas se contenter de le cultiver et de l'exporter. Il fallait exploiter encore plus ce fruit qui faisait la fierté du pays. En tout cas, c'est ce que pensait Aïcha, dans son nouvel élan patriotique !

Pauvre Aïcha. C'est difficile de se sentir étrangère dans son propre pays. Mais ne te tourmente plus. D'autres patriotes, comme toi, ont eu la bonne idée d'expérimenter l'ananas et voici rien que pour toi, une de leur trouvaille : la recette des «gâteaux au jus d'ananas».

1 L DE JUS D'ANANAS

1/2 LITRE D'HUILE

1/2 KG DE SUCRE

1 PINCÉE DE COLORANT JAUNE

1 KG DE FARINE DE BLÉ

100 G DE BEURRE

1 CL À CAFÉ DE BICARBONATE

Pour 4 personnes patriotes | 1 litre de jus d'ananas, 1 kg de farine de blé, 1 pincée de colorant, 1 cuillère à café de bicarbonate, ½ kg de sucre, 100 g de beurre, ½ litre d'huile

Mets le jus d'ananas dans un saladier. Verse-y le sucre en remuant vigoureusement pour qu'il fonde bien. Ajoute la pincée de poudre colorante et le bicarbonate. Remue toujours en incorporant la farine et le beurre. Pétris la pâte obtenue jusqu'à ce qu'elle soit homogène et laisse reposer 20 minutes.
Coupe la pâte en petites boules que tu feras frire dans de l'huile bien chaude pendant 5 minutes par beignet.

LES CRACROS

C'est la recette qui nous replonge directement en enfance. Elle se déguste
au goûter, au dessert, nature ou même accompagnée d'une sauce tomate.
Un plat que l'on peut savourer à toute heure à tous les coins de rue. Les cracros
sont vendus par des femmes. C'est un délice ! Petits, nos aînés, pour avoir
le droit d'en manger, nous demandaient de bien prononcer ce nom ridicule
qui ne voulait rien dire. Alors on essayait comme on pouvait, mais dès qu'on
avait dans la bouche une de ces succulentes boulettes toutes chaudes,
la prononciation allait soudain de soi : CRACROS !!! Ce qui avait le don
d'amuser les grands, qui ont sûrement dû aussi passer par là.
Cuisinez ce plat avec vos enfants et faites le test tous ensemble :
fous rires garantis !

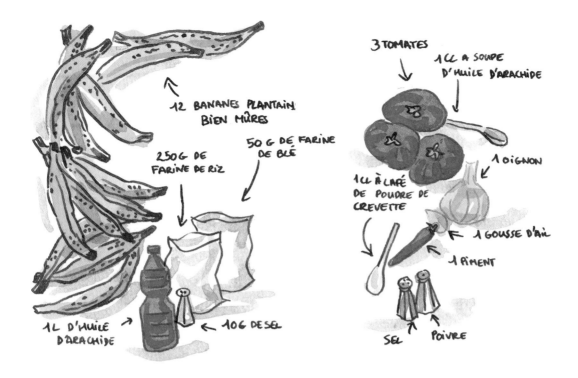

12 BANANES PLANTAIN BIEN MÛRES

250G DE FARINE DE RIZ

50 G DE FARINE DE BLÉ

1L D'HUILE D'ARACHIDE

10G DE SEL

3 TOMATES

1 CL A SOUPE D'HUILE D'ARACHIDE

1 OIGNON

1 CL À CAFÉ DE POUDRE DE CREVETTE

1 GOUSSE D'AIL

1 PIMENT

SEL   POIVRE

Pour 6 adultes et enfants | 12 bananes plantain bien mûres, 250 g de farine de riz, 50 g de farine de blé, 10 g de sel, 1 litre d'huile d'arachide | La sauce tomate : 3 tomates, 1 oignon, 1 gousse d'ail, 1 cuillère à café de poudre de crevettes, 1 piment, 1 cuillère à café de concentré de tomate, sel et poivre

Préparation des cracros
Écrasez les bananes à la fourchette puis au mixeur pour obtenir une pâte bien lisse. Ajoutez les deux farines, mélangez bien et salez à votre goût. Laissez reposer une demi-heure. (Pendant ce temps, préparez éventuellement la sauce tomate.)
Chauffez l'huile. Avec la pâte, façonnez des boulettes (à la main ou à l'aide d'une cuillère à soupe) et faites-les cuire dans l'huile chaude 8 à 10 minutes jusqu'à ce qu'elles soient dorées. Égouttez les cracros sur du papier absorbant et servez-les chauds nature ou accompagnés de la sauce tomate.

Préparation de la sauce tomate
Mixer les tomates, l'oignon, l'ail, le piment (facultatif) et réduisez-les en purée. Salez, poivrez et ajoutez la poudre de crevettes et le concentré de tomate. Faites cuire à feu doux dans une casserole jusqu'à évaporation totale du liquide. Ajoutez l'huile et laissez cuire encore 10 minutes.

SALADE DE FRUITS
compliquée

Sauf si vous arrivez à trouver les fruits… surtout le mangoustan,
le corossol, la papaye…

Le mangoustan est un fruit tropical de la taille d'une pomme.
Son écorce mauve et dure renferme une chair blanche, délicate
et juteuse.

Le corossol est un fruit comestible vert à maturité. Sa chair
de couleur blanc crème est juteuse et fortement parfumée ;
elle contient généralement plusieurs douzaines de graines
sombres.

1 PAPAYE

1 MANGOUSTANS

1 POMME

1 ANANAS

1 MANGUE

1 COROSSOL

1 ORANGE

500 ML D'EAU

200 G DE SUCRE DE CANNE

2 BÂTONS DE CANNELLE

LE JUS D'UN DEMI CITRON

La salade : 1 ananas, 1 mangue, 1 mangoustan, 1 corossol, 1 orange, 1 pomme | **Le sirop :** 500 ml d'eau, 200 g de sucre de canne, le jus d'un ½ citron, 2 bâtons de cannelle

Lavez les fruits. Épluchez-les et découpez-les. Pas trop petits pour qu'ils ne s'écrasent pas.

Préparation du sirop
Versez l'eau dans une casserole avec le sucre et portez à ébullition. Ajoutez le jus du demi-citron (ce dernier évitera à vos fruits de noircir) et 2 bâtons de cannelle. Laissez frémir à petits bouillons pendant 10 minutes. Puis laissez tiédir. Une fois le sirop refroidi, versez-le sur les fruits découpés.

Mélangez bien délicatement le tout. Réservez au frais pendant une heure.

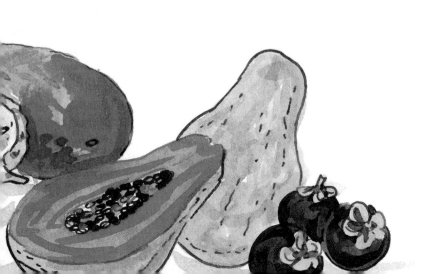

Les boissons non alcoolisées sont plus communément appelées « sucreries », entendez par là coca, autres sodas et jus de fruits. Notre climat, comme tout le monde le sait, est très tropical, avec des températures qui frôlent parfois les 40°. Il pousse les gens à étancher leur soif par n'importe quel moyen, à n'importe quelle heure de la journée. Bien entendu. Et l'eau, qui reste le meilleur élixir au monde contre la soif, peut au bout d'un moment lasser par sa platitude. D'où la nécessité de se réhydrater autrement… avec les sodas. Mais ces boissons sont très coûteuses et surtout trop sucrées. En plus, elles n'hydratent pas vraiment, mais créent plutôt une sensation de soif permanente et ont surtout une fâcheuse tendance à filer le diabète !

Les femmes (et oui, encore elles !), n'ayant pas les moyens financiers d'offrir à leur progéniture cocas et autres sodas, ont trouvé une intelligente solution – chacun sait que « les difficultés aiguisent la connaissance » – : pourquoi ne pas tout simplement créer des boissons à base de produits locaux ? C'est ainsi que les jus de gingembre, de tamarin, de bissap, de citron, de baobab et autres… ont vu le jour. Ces boissons artisanales présentent de multiples avantages. On peut les consommer avec ou sans sucre, elles contiennent des produits 100 % naturels, sont faciles à préparer, peuvent être fabriquées en grande quantité, sont absolument délicieuses et pour couronner le tout, possèdent même des vertus médicinales.
Ces femmes ont su conjuguer écologie, médecine et économie…

LES BOISSONS

LE NYAMAKOUDJI
"Jus de gingembre"
Partenaire sexuel !

Le nyamakoudji signifie eau de gingembre en dioula (une ethnie du nord du pays). Le gingembre est aussi appelé « plante aux 1 000 vertus » : très aphrodisiaque, elle stimule et tonifie la libido masculine. Alors notre chère Clarissa en a fait boire beaucoup à son homme qui préférait dormir la nuit plutôt que de se réveiller pour « tuer les moustiques » (la satisfaire sexuellement). Mais au lieu de réveiller ses ardeurs amoureuses, cela a réveillé ses hémorroïdes. Il faut dire que Clarissa avait trop épicé son jus de gingembre…

BONUS

Ma mère, en femme éclairée, ne prêtait que des vertus médicinales au gingembre. Elle le servait chaud à mon père qui avait souvent des maux de... gorge... Enfin, c'était ce qu'elle me faisait croire... Il paraît que le gingembre est aussi un remède contre l'impuissance masculine. Ce sont les Indiens qui le disent. Mais ça c'est une autre recette !

LE JUS DE 8 CITRONS

1/2 BOUQUET DE MENTHE FRAÎCHE

1/2 KG DE GINGEMBRE

1 KG OU MOINS DE SUCRE SELON SON GOÛT

2 CL À CAFÉ D'ARÔME DE FLEUR D'ORANGER

1 L DE JUS D'ANANAS OU DE PASSION OU D'ORANGE

2 SACHETS DE SUCRE VANILLÉ

Pour 1 à 2 litres (selon la concentration désirée) | ½ kg de gingembre, ½ bouquet de menthe fraîche, le jus de 8 citrons, 1 litre de jus d'ananas, de passion ou d'orange, 2 sachets de sucre vanillé, 2 cuillères à café de fleur d'oranger, 1 kg, ou moins, de sucre (selon votre goût)

Pelez et écrasez le gingembre. Recueillez le jus concentré en passant la pâte de gingembre à travers un tamis, tout en y ajoutant un peu d'eau si nécessaire. Reversez le jus concentré obtenu dans un récipient et ajoutez de l'eau, le jus de citron, le jus de fruit choisi, le sucre vanillé, l'arôme et la menthe. Si vous trouvez la boisson trop piquante, rajoutez de l'eau et du sucre. Servez ce jus de gingembre bien frais en retirant les feuilles de menthe.

CONSEIL DE COPINE
A consommer bien frais, à tout moment, mais avec modération !

JUS DE BISSAP

boisson saine !

Le bissap est la fleur d'un arbuste, la roselle, également appelé hibiscus. À partir des fleurs rouges de l'hibiscus, on prépare le jus de bissap. Ma mère nous disait que c'était bon pour le sang. Il le nettoie et le rend plus rouge. Il fallait qu'on en boive énormément pour ne jamais être malade. Alors il y en avait tout le temps dans le réfrigérateur. Nous en buvions beaucoup, mais plus pour sa saveur douce, sucrée, et sa fraîcheur (surtout après une journée passée à jouer sous le soleil) que que pour ses qualités thérapeutiques.

BONUS

Le bissap n'est pas simplement bon, il est aussi riche en vitamine C. En infusion chaude, il facilite la digestion, est dépuratif, diurétique, et surtout les copines, c'est un anti-âge naturel... Si, si, je vous présenterai ma mère.

JUS DE BISSAP, PARTENAIRE SANTÉ !

5 BONNES POIGNÉES DE FLEURS D'HIBISCUS

1 BOUQUET DE MENTHE

1/2 LITRE DE JUS D'ANANAS D'ORANGE, DE CITRON, OU PAS

500G OU MOINS OU PLUS DE SUCRE SELON SON GOÛT

JUICE

Pour 2 litres ou plus | 5 bonnes poignées de fleurs séchées d'hibiscus, 1 bouquet de menthe, ½ litre de jus d'ananas, d'orange, de citron ou pas, environ 500 g de sucre selon votre goût

Faites bouillir les fleurs d'hibiscus dans 1,5 litre d'eau jusqu'à obtenir un liquide rouge et épais. Diluez ce jus dans plus ou moins 1 litre d'eau. Ajoutez les feuilles de menthe, le sucre et le jus. Remuez vigoureusement pour bien faire fondre le sucre. Mettez le mélange au frais. À servir très frais.

JUS DE TAMARIN

Ou tomidji signifie « eau de tamarin » chez les Maliens. Le tomidji résulte de la macération du fruit acide des gousses mûres du tamarinier. On prête également à ce fruit de nombreuses vertus médicinales (vitamine B, calcium, magnésium, sodium, fer et potassium). Il soigne ainsi le mal de ventre (je passe sur les effets laxatifs), le rhume, le fièvre, l'asthme, réduit le taux de sucre des diabétiques et serait aussi aphrodisiaque. Et… mes copines, le meilleur pour la fin… son délicieux petit goût acidulé.

ET, MES COPINES, LE MEILLEUR POUR LA FIN… SON GOÛT ACIDULÉ !

Tomidji,
partenaire féminin

BONUS

Les Maliens disent que le tamarin transmet le pouvoir et la magie des forêts tropicales africaines. Quoi qu'il en soit, mes copines, à défaut de chaleur africaine, vous pourrez boire votre tomidji en infusion.

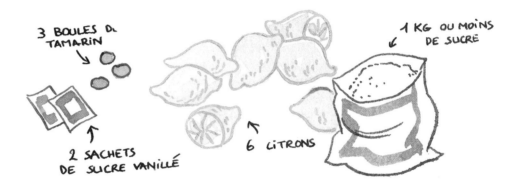

3 BOULES DE TAMARIN

2 SACHETS DE SUCRE VANILLÉ

6 CITRONS

1 KG OU MOINS DE SUCRE

Pour 2 litres | 3 boules de tamarin, 6 citrons, 2 sachets de sucre vanillé, 1 kg, ou moins, de sucre

Diluez les boules de tamarin dans 2 litres d'eau, puis passez au tamis le liquide obtenu pour en éliminer toutes les impuretés. Ajoutez le jus des citrons. Le jus de tamarin doit être un peu aigre (sinon ça n'a aucun intérêt, surtout pour les régimes). Ajoutez le sucre vanillé tout en remuant énergiquement. Versez le sucre. Laissez reposer au réfrigérateur pendant une ou deux heures avant de déguster bien frais à tout moment de la journée. Oui, le tomidji est aussi délicieux.

JUS DE BAOBAB

Baptisé aussi pain de singe (ses fruits sont en effet particulièrement appréciés par ces primates), le baobab est l'arbre le plus célèbre d'Afrique. Il joue un grand rôle symbolique et mystique auprès des Africains qui l'affublent de multiples surnoms comme l'arbre à l'envers – parce que ses racines ont l'air d'être en haut – ou l'arbre magique censé rendre fertiles les couples stériles ; on dit aussi qu'il fait venir la pluie… etc. Certains le nomment même « arbre de vie » pour rendre hommage à ses ressources et qualités quasi infinies, jugez plutôt… Les coques de ses fruits, une fois vidées, sont utilisées comme assiettes plateaux ou transformées en colliers, bracelets ou bagues. Ses feuilles sont consommées crues ou bouillies. L'écorce sert à la fabrication des cordes pour les instruments de musique, des paniers, du fil de pêche, des fibres textiles. Son huile, riche en acides gras essentiels, rentre dans certains produits alimentaires et cosmétiques… Attendez ! Ce n'est pas terminé, ça repart, car le baobab porte également le doux nom d'« arbre pharmacien » et la liste de ses dons thérapeutiques n'est pas moins longue… Il est réputé pour ses vertus anti-inflammatoires, mais aussi pour résoudre les problèmes digestifs.

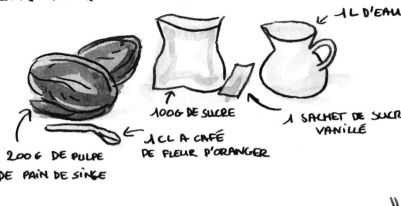

POUR 1 L DE JUS DE BAOBAB:

← 1 L D'EAU

100G DE SUCRE

1 SACHET DE SUCRE VANILLÉ

1 CL A CAFÉ DE FLEUR D'ORANGER

200 G DE PULPE DE PAIN DE SINGE

D'ailleurs, on le recommande aux touristes qui ont des soucis de cet ordre. Sa pulpe est préconisée comme analgésique, mais aussi contre la dysenterie, la variole, la rougeole. Elle est également riche en vitamines C, B et E et sa teneur en calcium est deux fois supérieure à celle du lait !

Et mes copines, le meilleur pour la fin, le surnom que je lui préfère est celui de « l'arbre à palabres » où il sert de lieu central dans la vie sociale du village. On dit qu'il aide les villageois à apaiser leur colère afin qu'ils puissent prendre les meilleures décisions et apaiser les conflits qui les agitent. Bon, vous aurez compris pourquoi il FAUT boire le jus de baobab, que l'on extrait de ses fruits !

Pour 1 litre de jus de baobab | 250 g de pulpe de pain de singe (à acheter dans les boutiques exotiques ou magasins bio),100 g de sucre, 1 sachet de sucre vanillé, 1 cuillère à café de fleur d'oranger, 1 litre d'eau

Faites revenir la pulpe de baobab dans l'eau pendant 15 minutes. Écrasez à la main jusqu'à ce que la chair des fruits soit détachée des pépins. Laissez macérer 2 heures. Ensuite, pressez le mélange à la main pour en extraire le jus puis passez-le au chinois. Récupérez le liquide dans un saladier. Ajoutez le sucre, la fleur d'oranger, le sucre vanillé. Mélangez et rectifiez à votre goût. Versez le jus dans une bouteille et conservez au réfrigérateur. Servez bien frais.

LES BOISSONS
ALCOOLISÉES

Je refuse de vous donner la recette du fameux « koutoukou », notre alcool frelaté et artisanal, reconnu nationalement dans tout le pays. Cette « eau de feu » est une boisson à base de vin de palme distillé à 70° voire plus.

Ce tord-boyaux est fabriqué par tous. Ainsi, il ne remplit aucune norme de dosage et représente un vrai danger pour les consommateurs. Il sert parfois d'alcool pour nettoyer les plaies, c'est vous dire…

Ne souhaitant pas avoir de procès et surtout (plus grave) être la cause de vos pertes de mémoire (le koutoukou agit méchamment sur le système nerveux), je vous propose tout simplement de marier les boissons non alcoolisées : nyamakoudji, jus de bissap ou de tamarin, avec du rhum, de la vodka et autres alcools, et de les boire en apéritif ou en digestif. Et comme le dit mon père, fin connaisseur, « les doigts n'ont pas tous la même longueur », en d'autres termes « les hommes et les femmes ne sont pas tous égaux devant l'alcool ».

Donc, consommez avec MODÉRATION.

Remerciements à
Charlotte Gallimard, Sabine Bledniak,
Nanti Odjé, Nina N'Gbandjui, Victorine Mandah
M. A.

N° d'édition : 245563

Direction artistique
Néjib Belhadj Kacem
Conception graphique
Oya Lydia Bierschwale

Photogravure
Scan +, Noisy-le-Grand
Impression / façonnage
SVET, Dosson di Casier

Achevé d'imprimer en octobre 2012
Imprimé en Italie, Union européenne